한국어 회화

한국어문화연수부편

고 려 대 학 교
민 족 문 화 연 구 소

머 리 말

먼저 한국어를 공부하기 위하여 이 교재를 선택한 여러분에게 감사를 드린다.

우리나라는 꾸준한 경제·사회적 성장을 통하여 이제 세계사의 커다란 흐름의 중심에 굳건히 자리잡은 위대한 국가로 발전하고 있다. 아울러 이러한 시대적, 국제적 상황의 변화 속에서 한국어 역시 세계인의 주목을 받고 있으며, 국제어로서 한국어를 습득하기 위한 외국인의 관심은 날로 높아가고 있다.

바로 이와같은 역사적 흐름에 발맞추어 본 연구소는 지난 1986년 **한국어문화연수부**를 설립하여 외국인 및 우리말을 모르는 해외동포들에게 한국어를 교육하여 왔다. 본 연구소에서 실시하고 있는 한국어 교육은 단순히 어학능력의 배양과 향상만이 아니라 한국의 문화를 함께 이해하게 하는 데에 더 큰 목표를 두고 있다. 이는 이렇게 하는 것이 보다 높은 차원에서 한국어를 이해하는 바른길이 된다고 믿기 때문이기도 하다. 그리고 이를 통해 한국문화의 해외 확산 및 국제간 민간교류에도 커다란 기여를 하게 되리라고 생각하는 바이다.

본 한국어 교재는 이와같은 한국어 교육의 목표를 좀 더 효율적이고 충실히 달성하기 위하여 본 연구소 교수진의 열의와 정성이 뭉쳐져 이루어진 것이다. 본 연구소에서는 이미 1986년 「한국어 회화 I」을 편찬한 바 있고 그 사이 강의를 통하여 개선할 점을 부분 수정하여 활용했으며, 1988년 이를 전면 개정하여 「한국어 회화 I」로 개편·활용하다가 이제 이를 토대로 다시 새롭게 개정판을 펴내게 되었다.

특히 이 책은 그동안 현장에서 쌓은 다양한 교수경험과 선진 언어교육이론을 토대로 하여 이전의 부족한 점을 수정·보완하였고 특히 생생한 상황설정을 통하여 실생활에 가장 유용한 생활언어의 습득에 중점을 두어 편찬하였다. 따라서 한국어를 배우고자 하는 모든 분들에게 가장 효과적이고 보람있는 교재라고 자부하는 바이다. 그러나 이 책에도 여러가지 문제점이 있을 것으로 생각된다. 앞으로 발견되는 부족한 점은 계속 수정하고 보완하여 더 좋은 한국어 교재를 만들고자 하오니 독자 여러분의 많은 질정을 바란다.

끝으로 이 책의 집필을 맡아 수고한 본 연구소의 김영아, 김정숙 연구원과 영어 풀이를 맡아준 강영 연구원, 그리고 그것을 감수한 Bob Fouser 교수, 일어 풀이를 해준 前田典子선생, 삽화를 그려준 이현주선생, 그리고 전반적인 감수를 정성스럽게 해주신 배희임 교수님과 교정과 제작에 참여한 관계자 여러분에게 깊은 감사의 뜻을 표한다.

1991. 1.

고려대학교 민족문화연구소

소 장   정 재 호

일 러 두 기

본 개정판에서는 한국어 교육과정에 있어 네 단계로 나뉘어져 있던 이전의 교과서를 여섯 단계로 세분하였다. 이 책은 그 중 첫 단계의 것으로 일상생활에 꼭 필요한 기초회화를 중심으로 다양한 활용을 보임으로써 효과적인 한국어 학습의 안내서가 되게 하였다.

이 책은 모두 20과로 되어 있고, 각 과는 본문, 새단어, 기본문형, 연습, 새단어의 순서로 되어 있다.

이 책은 지금까지의 한국어 교재와는 다른 내용과 방법을 제시하고 있다. 지금까지의 한국어 교재들이 이해와 암기를 위주로 하여 독본과 회화를 체계적으로 구분하지 않았던 것을 수정하여, 회화교재로서의 모습을 갖추고자 노력하였다. 살아 있는 한국어를 보여주기 위해 현재 일상회화에서 많이 사용되는 구어체 문형들을 모두 소개하고 다양한 활용례를 제시하였다. 또한 이를 진행함에 있어서는 기존의 교재와는 다르게 문법설명 위주의 진행법을 쓰지 않고 학습자의 인지 능력을 최대한 활용할 수 있는 유의적 학습 방법을 사용하여 기계적인 암기 위주의 학습법을 지양하였다.

본문에서는 학습자가 한국에서 마주칠 수 있는 자연스러운 상황을 제시하고, 여기에 한국인들이 실제 회화에서 많이 사용하는 단어와 문형을 단계적으로 배열하였다. 그리고 기본 문형과 연습을 통해 이를 충분히 익힐 수 있도록 하였는데, 여기서도 단순한 반복이나 활용에 그치지 않고 학습자의 학습의욕을 자발적으로 북돋울 수 있는 방법을 사용하였다.

또한 새단어와 문법사항들을 영어와 일본어로 옮겨 학습자의 이해를 높이고 학습의 편의를 돕게 하였다.

민족문화연구소　한국어 교재 편찬실

목　　차

제 1 과 | **안녕하세요?**

안녕하세요?   How do you do?

처음 뵙겠습니다.

저는 앨버트라고 합니다.   My name is Albert.

만나서 반갑습니다.   I'm glad to meet you.

① 책을 펴세요.   Open your book, please.

② 잘 들으세요.   Listen carefully.

✓ ③ 따라하세요.   Repeat, please.

✓ ④ 읽으세요.   Read, please.

⑤ 칠판을 보세요.   Look at the blackboard, please.

⑥ 대답하세요.   Answer, please.

㉆ 쓰세요.   Write, please.

✓ ⑧ 질문 있어요?   Do you have any questions?

✓ ⑨ 네, 있어요.   Yes, I do.

✓ ⑩ 아니오, 없어요.   No, I don't.

2

⑪ 알겠어요?   Do you understand?   ✔

⑫ 네, 알겠어요.   Yes, I understand. ✔

⑬ 아니오, 잘 모르겠어요. No, I don't understand. ✔

⑭ 숙제해 오세요.   Do your homework, please.   √

⑮ 안녕히 계세요.   Good-bye.——————— ✔

⑯ 안녕히 가세요.   Good-bye.——————— ✔ write

기본문형

-(으)세요 is the imperative sentence ending.

  a) -세요 comes after verb stems ending in a vowel.

  b) -으세요 comes after verb stems ending in a consonant.

읽/다
읽으세요

연 습

1. 이야기를 완성하세요.

2.'보기'와 같이 말하세요.

<보 기>

책을 펴세요. *open book*

1)

_____.

2)

_____.

3)

_____.

4)

_____ .

5)

_____ .

6)

_____ .

7)

_____ .

8)

_____ .

5

9)

_____ .

3. '보기'와 같이 하세요.

〈보 기〉

<u>질문 있어요?</u>

1)

_____ .

2)

_____.

3)

_____.

4)

_____.

| 제 2 과 | 어디 가요? |

수 미 : 안녕하세요.

앨버트 : 안녕하세요, 수미 씨.

　　　　어디 가요?

수 미 : 학교에 가요.

앨버트 : 나도 학교에 가요.

　　　　같이 갑시다.

8

새단어

어디	where	どこ
가다	to go	行く
-아/어요?	*interrogative sentence ending*	ーですか(非格式体)
안녕하세요	How are you?	こんにちは
-씨	Mr., Miss, Mrs.	ーさん
학교	school	学校
-에	at, in, to (*location particle*)	ーに
-아/어요	*sentence ending* (*informal style*)	ーです(非格式体)
나	I	わたし
-도	also, too (*particle*)	ーも
같이	with (together)	ー諸に
-(으)ㅂ시다	Let's (do)	ーましょう

기본문형

1. | **-아 / 어요** |

In Korean honorific expressions, the predicate of a sentence has a different ending which shows the relationship between the speaker and the listener. There are two representative endings of honorific expressions. -습니다 is used for the polite formal style and -아/어요 for the polite informal style.

1) The Polite Formal Style (-습니다 style) is used when the social status of the person you are talking to is higher than yours or when his status is equal to or lower than yours, you should use this style in a formal situation.

2) The Polite Informal Style (-아요 style) is used when you talk

informally to people with whom you feel close even though they are older than you and their social status is higher than yours. This is most commonly used with parents, elder brothers and sisters, superiors, and strangers after the initial phase of formality. Remember that this style is not less polite than the polite formal style. This also tends to be used more frequently by women when meeting for the first time.

a) -아요 comes after stems ending in a vowel 아(야) or 오(요).

b) -어요 comes after stems ending in a every vowel except 아 and 오.

The basic form of every Korean verb and adjective ends in the -다 ending. -다 is omitted from the verb and the remaining part is called the stem.

살 : 다 → 살 : 아요
stem : ending   stem : ending

있 : 다   있 : 어요

(1) 서술문 (declarative sentence)에서

가다 → 가요		먹다	→ 먹어요
오다 → 와요		입다	→ 입어요
보다 → 봐요		재미있다	→ 재미있어요
많다 → 많아요		읽다	→ 읽어요

(2) 의문문 (interrogative sentence)에서

가다 → 가요?		먹다	→ 먹어요?
오다 → 와요?		입다	→ 입어요?
보다 → 봐요?		재미있다	→ 재미있어요?
많다 → 많아요?		읽다	→ 읽어요?

2. | 하다 → 해요 |

The informal polite form of -하다 verbs is not -하요 but -해요.

-하여요(stem＋여요 form) had been used for a some time, but it has fallen out of usage. -해요 is used almost exclusively.

하다	→	해요
공부하다	→	공부해요
이야기하다	→	이야기해요
전화하다	→	전화해요
좋아하다	→	좋아해요

3.
> 어디 가요?
> ____ 에 가요.

The particle -에 "to" is used after nominals of place and denotes direction when followed by either 가다, 오다, 다니다 or their compound verbs (올라가다, 내려오다, 다녀오다 ……).

Therefore, it is always used with verbs denoting movement. Usually -에 is omitted in conversation.

1) A : 어디 가요?　　　　　Where are you going?
　 B : 식당에 가요.　　　　 I am going to school.
2) A : 어디 가요?
　 B : 다방에 가요.
3) A : 어디 가요?
　 B : 우체국에 가요.
4) A : 어디 가요?
　 B : 가게에 가요.
5) A : 어디 가요?
　 B : 집에 가요.
6) A : 어디 가요?
　 B : 화장실에 가요.

4.	―도	//	also, too

1) A : 어디 가요?   Where are you going?

   B : 학교에 가요.   I am going to school.

   A : 나도 학교에 가요. I am going to school, too.

2) A : 어디 가요?

   B : 식당에 가요.

   A : 나도 식당에 가요.

3) A : 어디 가요?

   B : 다방에 가요.

   A : 나도 다방에 가요.

4) A : 어디 가요?

   B : 우체국에 가요.

   A : 나도 우체국에 가요.

5.	―(으)ㅂ시다	//	Let's～

―(으)ㅂ시다 "Let's ～" is the polite formal style of the propositive form.

a) ―ㅂ시다 comes after verb stems ending in a vowel.

b) ―읍시다 comes after verb stems ending in a consonant.

가다	→ 갑시다		go → Let's go
공부하다	→ 공부합시다	*to study*	
보다	→ 봅시다	*to look, to see*	
먹다	→ 먹읍시다	*to eat*	
읽다	→ 읽읍시다	*to read*	
앉다	→ 앉읍시다	*to sit*	
웃다	→ 웃읍시다	笑う.	

연 습

1. 그림을 보고 '보기'와 같이 하세요.

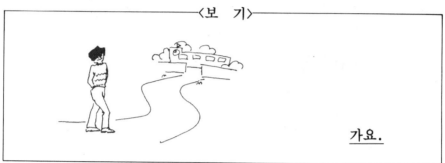

〈보 기〉

가요.

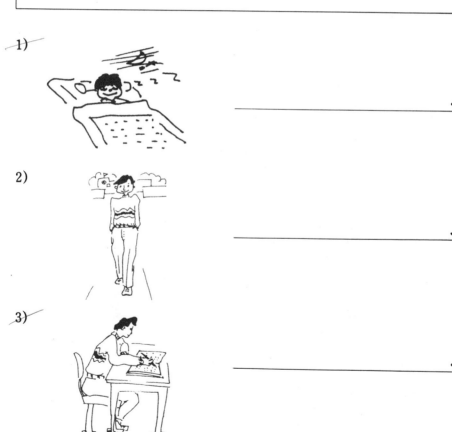

1)

_____ .

2)

_____ .

3)

_____ .

4)

_____.

5)

_____.

6)

_____.

7)

_____.

8)

_____.

9)

_____.

10)

_____.

2. 그림을 보고 '보기'와 같이 하세요.

<보 기>

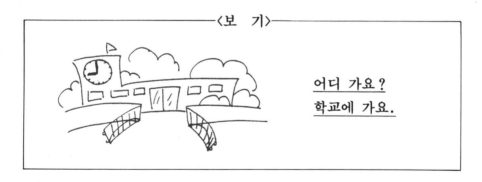

어디 가요?
학교에 가요.

1)

_____
_____

2)

_____

_____

3)

_____

_____

4)

_____

_____

5)

_____

_____

6)

_____

_____

3. 그림을 보고 '보기'와 같이 하세요.

───────⟨보 기⟩───────

A : 어디 가요?
B : 학교에 가요.
A : 나도 학교에 가요.
　　같이 갑시다.

1)

A : 어디 가요?
B : _____ .
A : _____ .
　　_____ .

2)

A : 어디 가요?
B : _____ .
A : _____ .
　　_____ .

3)

A : 어디 가요?
B : _____ .
A : _____ .
　　_____ .

4)

A : 어디 가요?

B : _____ .

A : _____ .

_____ .

4. '보기'와 같이 하세요.

〈보 기〉

같이 갑시다.

1)

_____ .

2)

_____ .

3)

_____.

4)

_____.

5)

_____.

새단어

오다	to come	来る
보다	to see	見る
많다	(be)many, (be)numerous, (be)abundant	多い、たくさんだ
먹다	to eat	食べる
재미있다	(be)interesting, (be)amusing	面白い
읽다	to read	読む
입다	to wear	着る
공부하다	to study	勉強する
이야기하다	to have a talk with, to speak	話しをする

전화하다	to phone, to make a phone call	電話をする
좋아하다	to like, to have a liking for	好く、好む
식당	dining room, restaurant	食堂
다방	tearoom, coffee shop	喫茶店
화장실	rest room, washroom	化粧室、トイレ
우체국	post office	郵便局
은행	bank	銀行
집	house, home	家
가게	shop, store	店
마시다	to drink	飲む
앉다	to sit	座る
살다	to live	住む
있다	to be, to exist	いる、ある
하다	to do	する

제 3 과 | 빵 있어요?

주 인 : 어서 오세요.

앨버트 : 빵 있어요?

주 인 : 네, 있어요.
　　　　Yes

앨버트 : 콜라도 있어요?
　　　　coke too/also

주 인 : 아니오, 없어요.
　　　　　no

　　　　사이다 있어요.
　　　　사이다-

앨버트 : 그러면 빵만 주세요.
　　　　Well then just　　　　Mid up to here!

주 인 : 여기 있어요.　　주다　here it is
　there　　*Here*　　　　here you go.
　　저기

앨버트 : 얼마예요?　　　how much?

주 인 : 500원이에요.

21

새단어

빵	bread	パン
주인	owner, master	主人
어서 오세요	Welcome. Please come in.	いらっしゃいませ
네	yes	はい
콜라	cola	コーラ
아니오	no	いいえ
없다	there is none, to do not have, not exist	ない、いない
사이다	soda pop	サイダー
그러면	then	それじゃあ
-만	only, just (*particle*)	-だけ
주다	to give	あげる、やる
-(으)세요	*imperative sentence ending (informal style)*	非格式体 命令文の語尾
여기 있어요	Here you are.	ここに あります(これです)
얼마	how much	いくら
-이에요/예요	*informal declarative sentence ending*	非格式体名詞文の語尾
원	Korean monetary unit	ウォン

기본문형

1. | 네 / 아니오 // yes / no |

1) A : 빵 있어요?   Do you sell bread?
   B : 네, 있어요.   Yes, we do.
   A : 우유도 있어요?   Do you sell milk, also?
   B : 아니오, 없어요.   No, we don't.

2) A : 우표 있어요?

   B : 네, 있어요.

   A : 봉투도 있어요?

   B : 아니오, 없어요.

3) A : 신문 있어요?

   B : 네, 있어요.

   A : 버스표 있어요?

   B : 아니오, 없어요.

4) A : 손수건 있어요?

   B : 네, 있어요.

   A : 휴지도 있어요?

   B : 아니오, 없어요.

2.

그러면	then

1) A : 빵 있어요?   Do you sell bread?

   B : 네, 있어요.   Yes, we do.

   A : 우유도 있어요?   Do you sell milk, also?

   B : 아니오, 없어요.   No, we don't.

   A : 그러면 빵만 주세요.   Then, give me bread only.

2) A : 시간 있어요?   *Do you have time?*
         time

   B : 네, 있어요.

   A : 그러면 같이 이야기합시다.

3) A : 오늘 시간 있어요?

   B : 아니오, 없어요.

   A : 그러면 내일 만납시다.

4) A : 우체국에 가요?

   B : 네, 우체국에 가요.   *Post office*

   A : 그러면 같이 갑시다.

3. ─만 / only, just

1) A : 빵 있어요?　　　　　　Do you sell bread?
　B : 네, 있어요.　　　　　　Yes, we do.
　A : 우유도 있어요?　　　　Do you sell milk, also?
　B : 아니오, 없어요.　　　　No, we don't.
　A : 그러면 빵만 주세요.　　Then, give me bread only.

2) A : 수미씨 있어요?
　B : 네, 있어요.
　A : 영진씨도 있어요?
　B : 아니오, 수미씨만 있어요.

3) A : 어디 가요?
　B : 학교에 가요.
　A : 동생도 같이 가요?
　B : 아니오, 나만 가요.

4) A : 우체국에 가요?
　B : 네, 우체국에 가요.
　A : 은행에도 가요?
　B : 아니오, 우체국에만 가요.

4. ─(으)세요

─(으)세요 is the imperative sentence ending.

a) ─세요 comes after verb stems ending in a vowel.

b) ─으세요 comes after verb stems ending in a consonant.

1) A : 빵 <u>주세요</u>.　　　　　　　Give me bread, please.
　B : 여기 있어요.　　　　　　　Here you are.

2) A : 피곤해요.

   B : <u>쉬세요</u>.

3) A : 여기 <u>앉으세요</u>.

   B : 고마워요.

4) A : 이 책 <u>받으세요</u>. 생일선물

   B : 고마워요.

---

5. | 수(Cardinal number) |

1	일	이	삼	사	오	육(륙)	칠	팔	구	공/영
10	십	이십	삼십	············						*zero*
100	백	이백	삼백	············						
1,000	천	이천	삼천	············						
10,000	만	이만	삼만	············						

10원	십 원
80원	팔십 원
100원	백 원
650원	육백오십 원
1,000원	천 원
3,400원	삼천사백 원
12,000원	만 이천 원
70,500원	칠만 오백 원

---

6. | Noun＋이에요 / 예요 |

　ー이다 is a copula, implying "to be", that identifies the predicate of a sentence with the subject. We use ー이다 when we tell what a person or thing is. —이에요 is the polite informal form of 이다. When a noun ends in a vowel, we use —예요 (contraction form of —이에요) usually.

   1) A : 얼마예요? How much is it?
      B : 팔십 원이에요. It's 80 won.

   2) A : 볼펜 얼마예요?
      B : 백 원이에요.

   3) A : 이 손수건 얼마예요?
      B : 천 원이에요.

   4) A : 이 책 얼마예요?
      B : 만 이천 원이에요.

   5) A : 뭐예요?
      B : 빵이에요.

   6) A : 뭐예요?
      B : 우유예요.

연 습

1. 그림을 보고 '보기'와 같이 대답하세요.

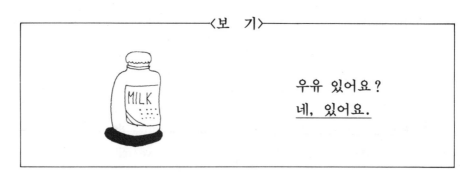

〈보 기〉

우유 있어요?
네, 있어요.

1)

우표 있어요?

_____.

2)

책 있어요?

_____.

3)

손수건 있어요?

_____.

4)

우산 있어요?

_____.

5)

신문 있어요?

_____.

6)

가방 있어요?

_____.

7)

담배 있어요?

_____.

8)

돈 있어요?

_____.

2. '보기'와 같이 하세요.

<보　기>

A : <u>빵 있어요?</u>
B : 네, 있어요.
A : <u>우유도 있어요?</u>
B : 아니오, 없어요.
A : <u>그러면 빵만 주세요.</u>

1)

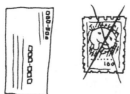

A : _____
B : 네, 있어요.
A : _____
B : 아니오, 없어요.
A : _____

2)

A : _____
B : 네, 있어요.
A : _____
B : 아니오, 없어요.
A : _____

3)

A : _____
B : 네, 있어요.
A : _____
B : 아니오, 없어요.
A : _____

4)

A : _____
B : 네, 있어요.
A : _____
B : 아니오, 없어요.
A : _____

4. '보기'와 같이 하세요.

<보 기>

A : 빵 있어요?
B : 네, 있어요.
A : 얼마예요?
B : 500원이에요.

1)

A : _____
B : 네, 있어요.
A : _____
B : _____

2)

A : _____
B : 네, 있어요.
A : _____
B : _____

3)

A : _____
B : 네, 있어요.
A : _____
B : _____

제 4 과 백화점에서 바지하고 구두를 사요

영진 : 어디 가요?

수미 : 백화점에 가요.
배콰점 · Department score

영진 : 어느 백화점에 가요?
which

수미 : 롯데 백화점에 가요.
매드

영진 : 백화점에서 무엇을 사요?
at (in) *what* *object suffix* *사다 to buy*

수미 : 내 바지하고 어머니 구두를 사요.
my *pants* *and* *shose*

영진 : 아버지 것도 사요?
thing *something* *also*

수미 : 아니오, 안 사요. ← *put 안 in front of verb means not doing the verb!*
not

나의 *make possesive*
Yuki의

에,OH pronounce like 줌

35

새단어

백화점	department store	百貨店
-에서	at (*location particle*)	-で
바지	trousers, pants	ズボン
-하고	and (*conjunctive particle*)	-と
구두	shoes, highheeled shoes	靴
사다	to buy	買う
어디	where	どこ
어느	which	どれ
롯데 백화점	Lotte Department Store	ロッテデパート
무엇	what	何
내	my	私の
어머니	mother	あ母さん、母
-을/를	*object particle*	-を
아버지	father	お父さん、父
것	the thing for	もの
안	*negative prefix for verb and adjective*	-しない

기본문형

1. | 어느 // which |

어느 comes before a noun and designates one thing of a group. We use this wh-word for asking about a special thing or person.

1) A : 어디 가요?　　　　Where are you going?
   B : 백화점에 가요.　　　I am going to the department store.
   A : 어느 백화점에 가요?　Which department store are you going to?

B : 롯데 백화점에 가요.　　I am going to Lotte Department
　　　　　　　　　　　　　Store.

2) A : 어디 가요?
　 B : 시장에 가요.　　　 _traditional market (on street)_
　 A : 어느 시장에 가요?
　 B : 남대문 시장에 가요.　 _door / name_

3) A : 어디 가요?
　 B : 산에 가요.　 _mountains_
　 A : 어느 산에 가요?
　 B : 도봉산에 가요.

4) A : 어디 가요?
　 B : 은행에 가요.
　 A : 어느 은행에 가요?
　 B : 국민은행에 가요.

2. | −을 / 를 |

−을/를 is the object particle.

   a) −을 comes after nouns ending in a　consonant.

   b) −를 comes after nouns ending in a　vowel.

무엇을 해요?　　　　　 What are you doing?
뭘 해요?
뭐 해요?

바지를 사요.　　　　　 I am buying a pair of trousers.
공부를 해요.
전화를 해요.
커피를 마셔요.
밥을 먹어요.

텔레비전을 봐요.

책을 읽어요.

3. | ─에서 | in, at |

─에서 is the locative particle. ─에서 in association with an active verb specifies location of that activity.

백화점에서 바지를 사요.   At the department store, I'm buying a

학교에서 공부를 해요.   pair of trousers.

다방에서 커피를 마셔요.

식당에서 밥을 먹어요.

방에서 텔레비전을 봐요. 보다

교실에서 책을 읽어요. *Bring the book in the classroom*

우체국에서 전화를 해요.

회사에서 일을 해요.

4. | ─의 | |

─의 is the possessive particle. It is attached to a noun or a pronoun and indicates that whatever follows is a possession of that noun or pronoun. In ordinary usage, the particle ─의 can be pronounced [e] in standard speech. Usually ─의 is omitted in conversation. 나의 (my) and 너의 (your) are frequently contracted to 내 and 네.

1) A : 누구(의) 구두를 사요?   Whose shoes are you buying?

   B : 어머니(의) 구두를 사요.   I'm buying shoes for my mother.

2) A : 누구 바지를 사요?

　　B : 내 바지를 사요.

3) A : 누구 옷이에요?

　　B : 내 동생 옷이에요.

4) A : 누구 집에 가요?

　　B : 우리집에 가요.

5) A : 누구 것이에요?

　　B : 우리 형 것이에요.

6) A : 누구 거예요?

　　B : 수미 거예요.

5. | －하고 // and |

The conjunctive particle －하고 "and" is used between nouns or nominals, we use －하고 more often than －와/과 in conversation. In pronunciation there is no pause between －하고 and the preceding noun.

바지하고 구두를 사요. I am buying a pair of trousers and shoes.

커피하고 콜라 주세요.
사과하고 배를 먹어요.
주소하고 전화번호를 쓰세요.
티셔츠하고 청바지를 입어요.
우체국하고 은행에 가요.

6. | 안 // not |

안 is prefixed to verbs and adjectives and it denotes the negative.

1) A : 비싸요?　　　　　Is this expensive?

　　B : 아니오, 안 비싸요.　No, it's not expensive.

2) A : 빵 먹어요?

   B : 아니오, 안 먹어요.

3) A : 학교에 가요?

   B : 아니오, 안 가요.

4) A : 자요?

   B : 아니오, 안 자요.

5) A : 텔레비전 봐요?

   B : 아니오, 안 봐요.

6) A : 야구 좋아해요?

   B : 아니오, 안 좋아해요.

연 습

1. '보기'와 같이 하세요.

〈보 기〉

A : 어디 가요?

B : 백화점에 가요.

A : 어느 백화점에 가요?

B : 롯데 백화점에 가요.

1)

A : _____ ?

B : _____ .

A : _____ ?

B : _____ .

2)

A : _____ ?

B : _____ .

A : _____ ?

B : _____ .

3)

A : _____ ?

B : _____ .

A : _____ ?

B : _____ .

동대문 우체국

4)

A : _____ ?

B : _____ .

A : _____ ?

B : _____ .

설악산

5)

A : _____ ?

B : _____ .

A : _____ ?

B : _____ .

고대
병원

6)

A : _____ ?
B : _____ .
A : _____ ?
B : _____ .

남대문시장

2. '보기'와 같이 하세요.

<보 기>

뭐 해요?
전화를 해요.
noun   do

1)

뭐 해요?
밥을 먹어요   .

먹다
verb

2)

뭐 해요?

_____ .

42

3)

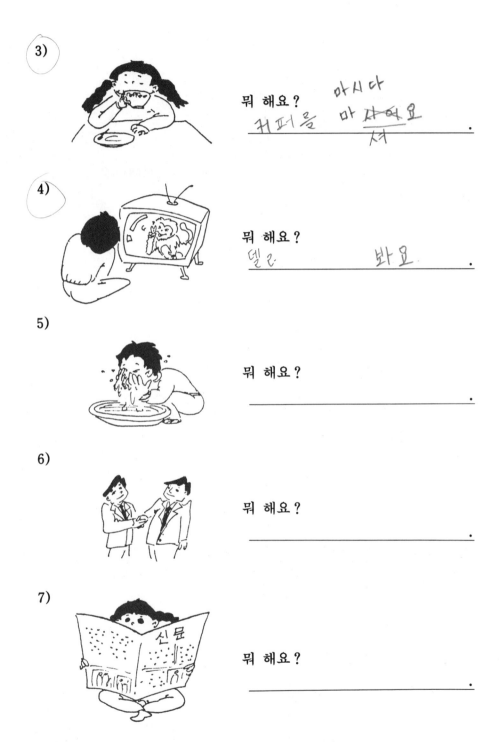

뭐 해요?   ~~마시다~~

커피를 마 ~~셔여요~~ . 셔

4)

뭐 해요?

델 ~~e~~   봐요 .

5)

뭐 해요?

_____ .

6)

뭐 해요?

_____ .

7)

뭐 해요?

_____ .

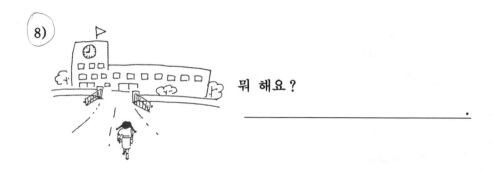

8)

뭐 해요?

_____ .

3. '보기'와 같이 하세요.

<보 기>

A : 어디 가요?
B : 백화점에 가요.
A : <u>백화점에서 뭘 사요?</u>
B : 바지를 사요.

1) A : 어디 가요?
   B : 우체국에 가요.
   A : _____ ?
   B : 전화를 해요.

2) A : 어디 가요?
   B : 식당에 가요.
   A : _____ ?
   B : 비빔밥을 먹어요.

3) A : 어디 가요?
   B : 집에 가요.
   A : _____ ?
   B : 텔레비전을 봐요.

44

4) A : 어디 가요?

   B : 다방에 가요.

   A : _____ ?

   B : 친구를 만나요.

5) A : 어디 가요?

   B : 가게에 가요.

   A : _____ ?

   B : 우유를 사요.

6) A : 어디 가요?

   B : 도서관에 가요.

   A : _____ ?

   B : 책을 읽어요.

4. 그림을 보고 대답하세요.

1)

어머니

   A : 누구 구두를 사요?

   B : _____ .

2)

우리집

   A : 누구 집에 가요?

   B : _____ .

3)

동생   나

A : 누구 동생이에요?

B : _____ .

4)

형

A : 누구 가방이에요?

B : 형의 _____ .

(에/애)

5)

할아버지 grandfather

A : 누구 것이에요?

B : _____ .

6)

나

A : 누구 거예요?

B : 나의 / 저의
    내 / 제 _____ .

5. '보기'와 같이 하세요.

―――――〈보 기〉―――――

pant
바지를 사요. 구두를 사요.
→ 바지하고 구두를 사요.
   and

사다 buy

46

1) 빵을 사요. 우유를 사요.

    → _____ .

2) 사과를 먹어요. 배를 먹어요.

    → _____ .

3) 커피 주세요. 콜라 주세요.

    → _____ .

4) 주소를 쓰세요. 전화번호를 쓰세요.

    → _____ .

5) 양말을 신어요. 구두를 신어요.

    → _____ .

6) 우체국에 가요. 은행에 가요.

    → _____ .

6. '보기'와 같이 하세요.

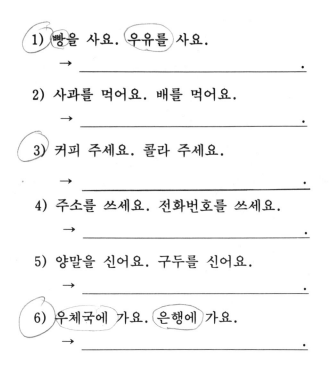

<보 기>

A : 백화점에서 뭘 사요?
B : 구두를 사요.

1)

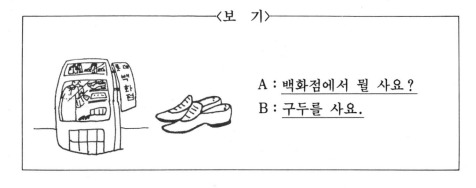

A : _____ ?
B : _____ .

2)

A : _____ ?

B : _____ .

3)

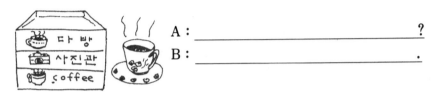

A : _____ ?

B : _____ .

4)

A : _____ ?

B : _____ .

5)

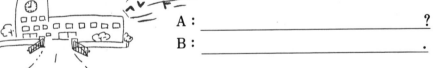

A : _____ ?

B : _____ .

6)

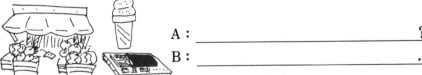

A : _____ ?

B : _____ .

7. '보기'와 같이 하세요.

<보 기>

A : 비싸요?
B : 아니오, <u>안 비싸요.</u>

1) A : 빵 먹어요?
   B : 아니오, _____.

2) A : 학교에 가요?
   B : 아니오, _____.

3) A : 자요? *sleep*
   B : 아니오, _____.

4) A : 텔레비전 봐요?
   B : 아니오, _____.

5) A : 우유 마셔요?
   B : 아니오, _____.

축구 football

6) A : 야구 좋아해요? *baseball*
   B : 아니오, _____.

농구 ba   ?

새단어

시장	market	市場
남대문 시장	Namdaemun Market	南大門市場
산	mountain	山
도봉산	Tobong Mountain	道峰山
국민은행	Kukmin Bank	国民銀行
뭐	what	何

49

뭘	what	何を
커피	coffee	コーヒー
밥	meal	御飯
텔레비전	TV	テレビ
일	working	仕事
방	room	部屋
교실	classroom	教室
회사	firm	会社
우리	our	私達の
형	(boy's) elder brother	お兄さん
거	thing	もの、こと
주소	address	住所
전화번호	telephone number	電話番号
쓰다	to write	書く
티셔츠	T-shirt	Tシャツ
청바지	blue jean	ジーンズ
비싸다	expensive	高い(値段)
자다	to sleep	寝る
설악산	Seorak Mountain	雪岳山
외환은행	Korea Exchange Bank	外換銀行
서울극장	Seoul theater	ソウル劇場
종로다방	Chongno Coffee Shop	鐘路喫茶(店)
고대병원	Korea University Hospital	高大病院
청소하다	to clean	掃除する
비빔밥	Pibimbap (a variety of Korean dish)	まぜごはん
연극	play	演劇
신다	to put on (shoes, socks)	(くつを)はく
야구	baseball	野球
엽서	postcard	葉書
한국말	Korean language	韓国語

제 5 과 | 복 습 I

1. '보기'와 같이 하세요.

─────────〈보 기〉─────────

A : 어디 가요?
B : <u>가게에 가요.</u>
A : 나도 가게에 가요.
　　같이 갑시다.
B : 가게에서 뭘 사요?
A : <u>우유하고 빵을 사요.</u>
B : 쥬스도 사요?
A : <u>아니오, 안 사요.</u>
　　<u>우유하고 빵만 사요.</u>

1)

A : 어디 가요?
B : _____ .
A : 나도 백화점에 가요. 같이 _____ .
B : 백화점에서 뭘 사요?
A : _____ .
B : 양말도 사요?
A : _____ .
　　_____ .

2)

A : 어디 가요?

B : _____ .

A : 나도 우체국에 가요. 같이 _____ .

B : 우체국에서 뭘 사요?

A : _____ .

B : 봉투도 사요?

A : _____ .

_____ .

3)

A : 어디 가요?

B : _____ .

A : 나도 학교에 가요. 같이 _____ .

B : 학교에서 뭘 공부해요?

A : _____ .

B : 중국어도 공부해요?

A : _____ .

_____ .

4)

A : _____ ?

B : 식당에 가요.

A : 나도 _____ . 같이 갑시다.

B : _____ ?

A : 불고기하고 냉면을 먹어요.

B : _____ ?

A : 아니오, 안 먹어요.

불고기하고 냉면만 먹어요.

5)

A : _____ ?

B : 운동장에 가요.

A : 나도 _____. 같이 갑시다.

B : _____ ?

A : 농구하고 야구를 해요.

B : _____ ?

A : 아니오, 안 해요. 농구하고 야구만 해요.

6)

A : _____ ?

B : 가게에 가요.

A : 나도 _____. 같이 갑시다.

B : _____ ?

A : 버스표하고 휴지를 사요.

B : _____ ?

A : 아니오, 안 사요. 버스표하고 휴지만 사요.

2. '보기'와 같이 하세요.

─────────〈보 기〉─────────

가게 / 사다 / 우유, 빵 / 쥬스

A : 어디 가요?

B : 가게에 가요.

A : 나도 가게에 가요. 같이 갑시다.

B : 가게에서 뭘 사요?

A : 우유하고 빵을 사요.

B : 쥬스도 사요?

A : 아니오, 안 사요. 우유하고 빵만 사요.

1) 백화점 / 사다 / 구두, 바지 / 양말
2) 우체국 / 사다 / 우표, 엽서 / 봉투
3) 학교 / 공부하다 / 한국어, 영어 / 독일어
4) 운동장 / 하다 / 농구, 야구 / 테니스
5) 식당 / 먹다 / 불고기, 냉면 / 비빔밥

3. '보기'와 같이 하세요.

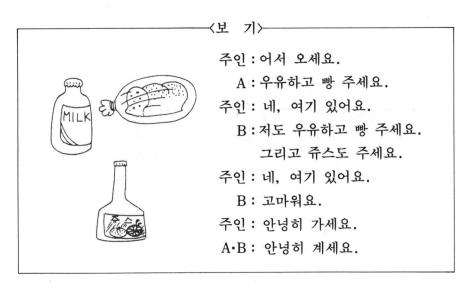

〈보 기〉

주인 : 어서 오세요.
 A : 우유하고 빵 주세요.
주인 : 네, 여기 있어요.
 B : 저도 우유하고 빵 주세요.
   그리고 쥬스도 주세요.
주인 : 네, 여기 있어요.
 B : 고마워요.
주인 : 안녕히 가세요.
A·B : 안녕히 계세요.

1)

2)

3)

  ,

4)

 ,

5)

 ,

4. 이야기를 완성하세요.

제 6 과 | 우체국이 어디 있어요?

(1) 운전사 : 어서 오세요.

　　손　님 : 안암동으로 가 주세요.

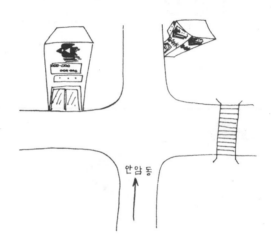

　　　　 저기 네거리에서 똑바로 가 주세요.

　　　　 저 은행 앞에서 세워 주세요.

(2) 운전사 : 어서 오세요.

　　손　님 : 안암동으로 가 주세요.

　　　　　　　　⋮

　　　　 저기 네거리에서 오른쪽으로 가 주세요.

　　　　　　　　⋮

　　　　 육교 밑에서 세워 주세요.

(3) 선영 : 우체국이 어디 있어요?

　수미 : 길을 건너가세요.

(4) 민섭 : 사무실이 어디 있어요?

　수미 : 위로 올라가세요.

　민섭 : 몇 층에 있어요?

　수미 : 3층에 있어요.

(5) 경주 : 사전이 어디 있어요?

　수미 : 가방 속에 있어요.

　경주 : 좀 빌려 주세요.

새단어

운전사	taxi driver, cabbi	運転手
손님	passenger, guest, visitor, customer	お客様
안암동	Anam-dong	安岩洞
-(으)로	to	～へ
-아/어 주세요	*expression for polite request*	～て下さい
저기	there, that place, over there	あそこ
네거리	crossroads, four way intersection	十字路、四つ角
똑바로	straight, in a straight line, directly	真っ直ぐに
저	that	あの
앞	the front, in front of	前
세우다	to stop, to bring to a stop	止める
오른쪽	the right side	右側
육교	overpass, footbridge	立橋

밑	under	下
길	road, street	道
건너가다	go across, to cross	渡る、横ぎる
사무실	office(room)	事務室
위	over, above	上
올라가다	to go up, to walk up	上がる、登る
몇	what	何(いくつ)
층	story, floor	階
-에 있다	to be, to be located, to be situated	ーにいる、ーにある
사전	dictionary	辞典、辞書
좀	please	どうぞ、ちょっと
빌리다	to lend	貸す
사전 좀 빌려 주세요.	Would you lend me a dictionary?	辞典をちょっと かして下さい

기본문형

1. **위치**

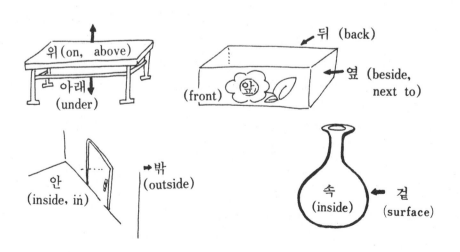

위(on, above) / 아래 (under) / 뒤 (back) / 옆 (beside, next to) / (front) 앞 / 안 (inside, in) / 밖 (outside) / 속 (inside) / 겉 (surface)

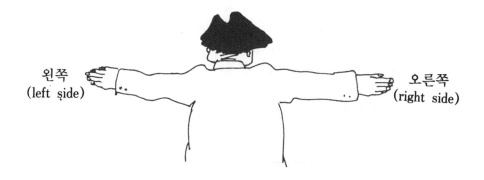

왼쪽
(left side)

오른쪽
(right side)

방 안에 거울이 있어요.

거울 앞에 식탁이 있어요.

식탁 위에 컵이 있어요.

식탁 밑에 고양이가 있어요.

식탁 옆에 의자가 있어요.

의자 뒤에 공이 있어요.

거울 오른쪽에 문이 있어요.

문 왼쪽에 거울이 있어요.

2. | 수 |

There are two sets of cardinal numbers, i, e. the native Korean numbers and the Sino-Korean numbers (eg. numbers of Chinese origin). We use these differently in accordance with the kind of number classifier which follows.

1	2	3	4	5	6	7	8	9	10
일	이	삼	사	오	육(륙)	칠	팔	구	십
하나	둘	셋	넷	다섯	여섯	일곱	여덟	아홉	열
(한	두	세	네)						

일 층 / 과 / 원 / 년 / 월 / 주일 / 일 / 분

floor, lesson, won, year, month, week, day, minute

한 개 / 번 / 달 / 시 / 살

piece, time, month, hour, age

1) ① A : 사무실이 어디 있어요?　Where is the office?

　　 B : 일 층에 있어요.　　　　 It's in the 1st floor.

　 ② A : 지금 어디 공부해요?

　　 B : 육 과 공부해요.

　 ③ A : 동전 있어요?

　　 B : 네, 십 원 있어요.

　 ④ A : 생일이 몇 월이에요?

　　 B : 시 월이에요.

　 ⑤ 일 주일 동안 방학이에요.

　 ⑥ 일 년 동안 한국말을 공부해요.

2) ① 사과 다섯 개 주세요.

　 ② 여덟 번 쓰세요.

　 ③ 한 시에 만납시다.

　 ④ 두 달 동안 미국을 여행해요.

　 ⑤ 여섯 살이에요.

3. | 어디 있어요?
　　|　____에 있어요.

　-에 is the locative particle added to nouns. One of its functions is specify location in space.

　The English translation of locative -에 may be "in," "on," "at," and "to" as appropriate in the context.

62

The existence verbs 있다 and 없다 coming after a locative expression in −에 mean "to be located or to be present" and "not to be located or not to be present." The expression −에 없다 is also used for the meaning of "to be lacking".

1) A : 전화가 어디(에) 있어요 ?   Where is the telephone ?
   B : 엘레베이터 옆에 있어요.   It's next to the elevator.

2) A : 사무실이 어디 있어요 ?
   B : 이 층에 있어요.

3) A : 볼펜이 어디 있어요 ?
   B : 책상 위에 있어요.

4) A : 은행이 어디 있어요 ?
   B : 길 건너에 있어요.

5) A : 버스 정류장이 어디 있어요 ?
   B : 은행 앞에 있어요.

---

4. | −(으)로   // to (direction) |

The particle −(으)로 "to" has a similar meaning as the direction particle −에. There is however, some differences in meaning. While −에 expresses a pure destination, −(으)로 expresses the connotation that the destination is a matter of choice or option.

a) −로 comes after nouns ending in a vowel or final consonant ㄹ.
b) −으로 comes after nouns ending in a consonant
   (except consonant ㄹ).

1) A : 우체국이 어디 있어요 ?   Where is the post office ?
   B : 오른쪽으로 가세요.   Go to the right.

2) A : 은행이 어디 있어요?

　　B : 왼쪽으로 가세요.

3) A : 화장실이 어디 있어요?

　　B : 위로 올라가세요.

4) A : 전화가 어디 있어요?

　　B : 아래로 내려가세요.

5) A : 버스 정류장이 어디 있어요?

　　B : 똑바로 가세요.

5. | Verb stem + -아 / 어 주세요 |

We use -아/어 주세요 for a polite request.

안암동으로 가 주세요.

은행 앞에서 세워 주세요.

전화번호 좀 가르쳐 주세요.

사전 좀 빌려 주세요.

다시 한 번 설명해 주세요.

내일 사무실로 와 주세요.

연 습

1. 그림을 보고 ____에 알맞은 말을 넣으세요.

거울이 어디에 있어요?　방 _____에 있어요.

컵이 어디에 있어요?　식탁 _____에 있어요.

거울 앞에 무엇이 있어요?　_____.

식탁 밑에 무엇이 있어요?　_____.

의자가 어디에 있어요?　식탁 _____에 있어요.

공이 어디에 있어요?　의자 _____에 있어요.

거울 오른쪽에 문이 있어요.
문 왼쪽에 무엇이 있어요?　＿＿＿＿＿＿＿＿＿.

2. 빈칸에 그림을 그리세요.

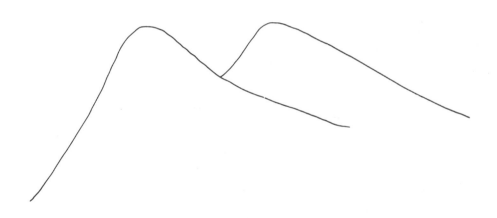

산 밑에 강이 있어요.
강 위에 다리가 있어요.
산에는 나무가 많아요.
산 앞에 학교하고 집이 있어요.
학교 오른쪽에 나무가 있어요.
학교 왼쪽에 세 사람이 있어요.
산에 나무가 많이 있어요.
하늘에 해가 있어요.

3. 그림을 보고 대답하세요.

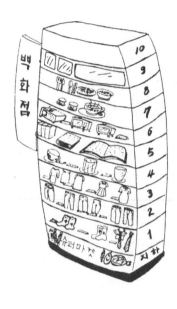

1) 어디에서 책을 팔아요?

　　　　　　　　　　　　　　　　　　　　　.

2) 4층에서 무엇을 팔아요?

　　　　　　　　　　　　　　　　　　　　　.

3) 지하에 무엇이 있어요?

　　　　　　　　　　　　　　　　　　　　　.

4) TV는 몇 층에 있어요?

　　　　　　　　　　　　　　　　　　　　　.

5) 몇 층에서 커피를 마셔요?

　　　　　　　　　　　　　　　　　　　　　.

6) 팔 층에서 무엇을 해요?

　　　　　　　　　　　　　　　　　　　　　.

7) 여자옷은 몇 층에서 팔아요?

　　　　　　　　　　　　　　　　　　　　　.

8) 남자옷도 삼 층에서 팔아요?

　　　　　　　　　　　　　　　　　　　　　.

4. 읽어 보세요.

1) A : 몇 시예요?
　　B : 5시 10분이에요.
2) A : 사과 3개 주세요.
　　B : 여기 있어요.
3) A : 10원짜리 동전 있어요?
　　B : 아니오, 없어요.
4) A : 언제 미국에 가요?
　　B : 7월에 가요.

66

5) A : 아기가 몇 살이에요?

B : 2살이에요.

6) A : 몇 층에 살아요?

B : 9층에 살아요.

7) A : 오늘 며칠이에요?

B : 4일이에요.

8) A : 질문 있어요?

B : 네, 이 문제 다시 1번 설명해 주세요.

5. 그림을 보고 대답하세요.

1)

① 병원이 어디에 있어요?

_____.

② 어디에서 버스를 타요?

_____.

③ 백화점이 어디에 있어요?

_____.

2)

① 병원이 어디에 있어요?

_____ .

② 버스 정류장이 어디에 있어요?

_____ .

③ 나는 지금 어디에 있어요?

_____ .

6. 그림을 보고 이야기를 만드세요.

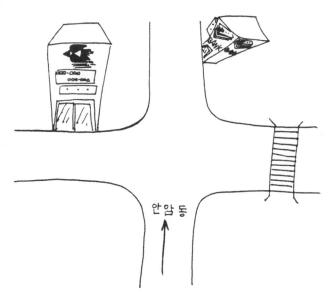

안암동

(1) 운전사 : 어서 오세요.

   손 님 : _____으로 가 주세요.

                             ⋮

   저기 네거리에서 _____ 가 주세요.

   은행 앞에서 _____ 주세요.

(2) 운전사 : 어서 오세요.

   손 님 : _____ .

   저기 네거리에서 _____ .

   우체국 앞에서 세워 주세요.

(3) 운전사 : 어서 오세요.

   손 님 : _____ .

   저기 네거리에서 _____ .

   육교 밑에서 _____ .

새단어

거울	mirror	鏡
식탁	dining table	卓食
컵	cup	コップ
고양이	cat	猫
의자	chair	椅子
공	ball	ボール
문	door	ドア (門)
-과	lesson	課
동전	coin	銅貨、小錢
-동안	during, while	間
수업	class	授業
미국	the United States	アメリカ
전화	telephone	電話
엘레베이터	elevator	エレベーター

책상	desk	机
건너	across, the opposite side of	向こう(側)
내려가다	to go down	降りて行く
가르치다	to teach	教える
다시	again, once more	もう一度、また
설명하다	to explain	説明する
강	river	江
다리	bridge	橋
나무	tree	木
지하	underground	地下
여자	woman	女の人
팔다	to sell	売る
남자	man	男の人
정류장	stopping-place	停留場
버스 정류장	bus stop	バス停留所
타다	to take, to ride	乗る
지금	now, this time	今

제 7 과 | 어제 뭘 했어요?

영진 : 어제 6시쯤 수미씨한테 전화했어요.

수미 : 미안해요. 그때 집에 없었어요.

　　　극장에 갔어요.

영진 : 누구하고 갔어요?

수미 : 정희하고 갔어요.

영진 : 무슨 영화를 봤어요?

수미 : "장군의 아들"을 봤어요.

　　　그리고 같이 저녁을 먹고 커피를 마셨어요.

　　　그래서 늦었어요.

새단어

-았/었어요?	*the past interrogative form of* -아/어요	-아/어요の過去疑問形
-았/었어요	*the past form of* -아/어요	-아/어요の過去形
-쯤	at, about	頃 (時刻)
-한테	to (*dative particle*)	-に
미안하다	to be sorry, to be regrettable	すまない、気の毒だ
그때	in that moment	その時
때	the time when	時
-하고	with	-と
무슨	what, which	どんな
장군의 아들	*Son of a General*	将軍の息子
그리고	and	そして
저녁(밥)	supper, dinner	夕食
그래서	for that reason, (and) so	それで、それから
늦다	to be late	遅れる

기본문형

1. | -았어요 / 었어요 |

-았어요/었어요 is the past form of a verb or an adjective + -아/어요.
The past tense insert, -았/었- indicates some facts which took place in the past.

사요	→ 샀어요	먹어요	→	먹었어요
와요	→ 왔어요	씻어요	→	씻었어요
봐요	→ 봤어요	멀어요	→	멀었어요
살아요	→ 살았어요	읽어요	→	읽었어요
많아요	→ 많았어요	재미있어요	→	재미있었어요

72

2. 했어요

했어요 is the past form of 해요.

공부해요	→	공부했어요
이야기해요	→	이야기했어요
전화해요	→	전화했어요
좋아해요	→	좋아했어요
목욕해요	→	목욕했어요

3. 누구 / 누가 / who

누구 someone, who.

누가 someone, who (as subject).

1) A : 어제 누구하고 술 마셨어요?   Who drank with you yesterday?

   B : 친구하고 마셨어요.   I drank with my friend.

2) A : 어제 누구하고 영화 봤어요?

   B : 누나하고 봤어요.

3) A : 저 사람 누구예요?

   B : 우리 오빠예요.

4) A : 누가 왔어요?

   B : 동생이 왔어요.

5) A : 어제 누가 전화했어요?

   B : 선생님이 전화했어요.

6) A : 누가 영진씨 동생이에요?

   B : 저 사람이에요.

4. | -한테 // to |

-한테, -에게 "to" indicate direction toward persons and animals, but in conversation -한테 is frequently used. -에게 is rarely used for animals.

어제 수미씨한테 전화했어요.　　I called to Sumi yesterday.
친구한테 편지를 보냈어요.
어머니한테 이야기했어요.
동생한테 선물을 줬어요.
아기한테 장난감을 줬어요.
고양이한테 우유를 줬어요.

5. | -하고 (같이) // with |

When we do something with another person, this expression is used, but 같이 is usually omitted.

1) A : 어제 영화 봤어요.
　　B : 혼자 봤어요?
　　A : 아니오. 동생하고 같이 봤어요.
2) A : 어제 백화점에 갔어요.
　　B : 혼자 갔어요?
　　A : 아니오. 친구하고 같이 갔어요.
3) A : 점심 먹었어요?
　　B : 네, 수미씨하고 먹었어요.

4) A : 어디에 살아요 ?

　　B : 안암동에 살아요 .

　　A : 혼자 살아요 ?

　　B : 아니오 , 한국사람하고 같이 살아요 .

6. | 그리고 // and |

그리고 "and" is typically used to introduce a sentence.

구두하고 가방을 샀어요 .　I bought a pair of shoes and a bag.
그리고 저녁을 먹었어요 .　Then I had dinner.

청소를 했어요 . 그리고 빨래를 했어요 .
밥을 먹었어요 . 그리고 커피를 마셨어요 .
나는 책을 읽어요 . 그리고 친구는 신문을 봐요 .
형은 학교에 가요 . 그리고 동생은 극장에 가요 .
어머니는 부엌에서 일을 해요 . 그리고 아기는 자요 .

7. | -고 // and |

-고 "and" is the conjunctive ending. It links two clauses, but it does not show any specific relation between them.

The subjects of the two clauses can be either the same or different.

-고 has two senses of meaning : (1) coordinating "and", as in enumerating a series of actions, conditions, qualities, and so on, and (2) sequential "and", where the action, condition, quality of the concluding clause is ordered in time after that of the clause in -고 and does not necessarily have a relation to it.

구두하고 가방을 샀어요. I bought a pair of shoes and a bag,
그리고 저녁을 먹었어요. then I had dinner.
→ 구두하고 가방을 사고 저녁을 먹었어요.

청소를 했어요. 그리고 빨래를 했어요.
→ 청소를 하고 빨래를 했어요.
밥을 먹었어요. 그리고 커피를 마셨어요.
→ 밥을 먹고 커피를 마셨어요.
나는 책을 읽어요. 그리고 친구는 신문을 봐요.
→ 나는 책을 읽고 친구는 신문을 봐요.
형은 학교에 가요. 그리고 동생은 극장에 가요.
→ 형은 학교에 가고 동생은 극장에 가요.
어머니는 부엌에서 일을 해요. 그리고 아기는 자요.
→ 어머니는 부엌에서 일을 하고 아기는 자요.

8. | 그래서 // therefore, so |

1) 어제 친구를 만났어요.   Yesterday, I met a friend of mine
   그래서 집에 없었어요.   so, I was not at home.

2) 일을 많이 했어요.
   그래서 피곤해요.

3) 날씨가 좋아요.
   그래서 기분이 좋아요.

4) 오늘은 수업이 없어요.
   그래서 학교에 안 가요.

5) 물건을 많이 샀어요.
   그래서 돈이 없어요.

6) 피곤해요.
   그래서 일찍 집에 왔어요.

연 습

1. 그림을 보고 '보기'와 같이 하세요.

<table>
<tr><td colspan="2" align="center">─〈보 기〉─</td></tr>
<tr><td></td><td>어제 어디에 갔어요?

_____ .</td></tr>
</table>

1)

어제 밤 10시쯤 뭐 했어요?

_____ .

2)

오늘 일찍 집에 왔어요?

_____ .

3)

 학교에서 뭘 했어요?

_____ .

4)

동생하고 뭘 했어요?

_____ .

5)

은행 앞에서 뭘 했어요?

_____ .

6)

식당에서 뭘 했어요?

_____ .

7)

버스 안에 사람이 없었어요?

_____ .

8)

방에서 뭘 했어요?

_____ .

9)

다방에서 뭘 했어요?

_____ .

10)

어제 뭘 했어요?

_____ .

11)

어제 뭘 했어요?

_____ .

2. _____에 '보기'에서 알맞은 말을 골라 넣으세요.

┌─────────────〈보 기〉─────────────┐
│   │
│   -한테,   -하고   │
│   │
└──────────────────────────────────┘

그저께 수미가 나_____ 편지를 보냈어요.
편지를 받고 나는 수미_____ 전화했어요.
그리고 어제 만났어요.

수미는 철민씨_____ 같이 왔어요.
우리 셋은 다방에서 1시간쯤 이야기를 했어요.
철민씨는 일이 있었어요. 그래서 먼저 갔어요.
나는 수미_____ 같이 극장에 갔어요.
영화가 아주 재미있었어요.

3. 질문에 대답하세요.

1) 어제 누구한테 전화했어요?

2) 누구한테 비밀을 이야기해요?

3) 누구한테 질문을 해요?

4) 어머니한테 편지를 자주 해요?

5) 강아지한테 무엇을 줘요?

6) 누구하고 같이 점심을 먹어요?

7) 누구하고 친해요?

8) 누구하고 같이 학교에 와요?

4. '보기'와 같이 하세요.

어제 선생님하고 뭘 했어요?
밥을 먹었어요. 그리고 커피를 마셨어요.
어제 선생님하고 뭘 했어요?
밥을 먹고 커피를 마셨어요.

1)

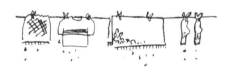 

어제 집에서 뭘 했어요?

_____.

어제 집에서 뭘 했어요?

_____.

2)

어제 백화점에서 뭘 했어요?

_____ .

어제 백화점에서 뭘 했어요?

_____ .

3)

친구하고 같이 책을 읽었어요?

_____ .

친구하고 같이 책을 읽었어요?

_____ .

4)

어디 가요?

_____ .

어디 가요?

_____ .

82

5)

엄마하고 아기가 뭘 해요?

_____ .

엄마하고 아기가 뭘 해요?

_____ .

6)

어제 집에서 언니하고 같이 텔레비전을 봤어요?

_____ .

어제 집에서 언니하고 같이 텔레비전을 봤어요?

_____ .

5. '보기'와 같이 하세요.

─────────────〈보 기〉─────────────

왜 집에 없었어요?
<u>친구를 만났어요.</u> 그래서 <u>집에 없었어요.</u>

1) 왜 피곤해요?

_____ . 그래서 _____ .

2) 왜 학교에 안 가요?

_____. 그래서 _____.

3) 왜 기분이 좋아요?

_____. 그래서 _____.

4) 왜 돈이 없어요?

_____. 그래서 _____.

5) 왜 일찍 집에 왔어요?

_____. 그래서 _____.

6) 왜 밥을 안 먹어요?

_____. 그래서 _____.

6. '보기'와 같이 하세요.

```
────────〈보  기〉────────

백화점 / 경주 / 구두, 사다 / 저녁, 먹다, 커피, 마시다

    어제 어디 갔어요?
    백화점에 갔어요.
    누구하고 갔어요?
    경주하고 갔어요.
    뭘 했어요?
    구두를 샀어요.
    그리고 뭘 했어요?
    저녁을 먹고 커피를 마셨어요.
```

1) 시장 / 엄마 / 과일, 사다 / 구경, 하다, 콜라, 마시다
2) 우체국 / 친구 / 우표, 사다 / 편지, 보내다, 전화, 하다
3) 명동 / 언니 / 영화, 보다 / 커피, 마시다, 백화점, 가다
4) 인천 / 친구 / 배, 타다 / 지하철, 타다, 서울, 오다

새단어

살다	to live	住む
씻다	to wash, to cleanse	洗う
멀다	(be) distant, (be) far	遠い
목욕하다	to take a bath	入浴する
깨끗하다	(be) clean, (be) pure	清潔だ, きれいだ
술	alcoholic drink, liquor	お酒
누나	elder sister (from male)	お姉さん (弟から見た)
오빠	elder brother (from female)	お兄さん (妹から見た)
편지	letter	手紙
보내다	to send	送る
아기	baby, infant	赤ちゃん
장난감	toy, plaything	おもちゃ
혼자	alone, by oneself	ひとり(で)
점심(밥)	lunch	昼食
한국사람	Korean (person, people)	韓国人
빨래(를) 하다	to wash the clothes, to do the laundry	洗濯(を)する
부엌	kitchen	台所
많이	much, plenty, a great deal	たくさん、多く
날씨	weather	天気
좋다	be good, be nice	いい
기분	feelings, state of mind	気分, 気持ち
물건	thing, object, goods	もの
일찍	early	早く
그저께	the day before yesterday	おととい
먼저	first of all, before anything else	先に, まず
비밀	secret	秘密
질문(을) 하다	to ask a question	質問(を)する
자주	often, frequently	しょっちゅう
친하다	be intimate, be close	親しい

과일	fruit	果物
구경(을) 하다	to have a look over	見物する
명동	Myeong - dong	明洞
인천	Inchon	仁川
배	ship, boat	船
지하철	the subway, the underground railway	地下鉄
서울	Seoul	ソウル

제 8 과 │ 저녁에 밖에서 만날까요?

토마스 : 학교에 안 가요?

영　진 : 지금 몇 시예요?

토마스 : 8시 40분이에요.

　　　　오늘 시험 아니에요?

영　진 : 네, 맞아요.

토마스 : 빨리 가세요.

　　　　그런데 오늘 바빠요?

영　진 : 오후엔 괜찮아요.

토마스 : 그럼 저녁에 밖에서 만날까요?

영　진 : 네, 좋아요. 밖에서 같이 술을 마십시다.

새단어

저녁	evening	夕方
-에	at (*time particle*)	-に (時刻)
밖	outside	外
-(으)ㄹ까요?	Shall we - (*expression for proposal*)	-ましょうか
시험	examination, test	試験
아니다	it is not-	-ではない
맞다	(be)right	合ろ、正しい
그런데	then, by the way	ところで
바쁘다	(be)busy	忙しい
오후	afternoon	午後
괜찮다	(be)all right, "O.K." (be)nothing to worry about	かまわない、いい
괜찮아요	That's O.K., Don't worry.	かまわない
그럼	If that is so (*the contracted form of* 그러면)	それなら (그러면の略)

기본문형

1. | ─시, ─분 // the hours and the minutes |

The hours on the clock are denoted by native Korean cardinal number words, and the minutes are denoted by Sino-Korean number words.

1) 1 : 03   한 시 삼 분
2) 2 : 07   두 시 칠 분
3) 3 : 10   세 시 십 분
4) 4 : 25   네 시 이십오 분
5) 5 : 30   다섯 시 삼십 분 / 다섯 시 반

6) 6 : 31   여섯 시 삼십일 분
7) 9 : 45   아홉 시 사십오 분
8) 10 : 46   열 시 사십육 분
9) 11 : 50   열한 시 오십 분
10) 12 : 00   열두 시

2. | Noun + 이 / 가 아니에요 |

-이/가 아니에요 is the negative form of noun+ -이에요.

a) -이 아니에요 comes after nouns ending in a consonant.

b) -가 아니에요 comes after nouns ending in a vowel.

1) A : 사과예요?   Is this an apple ?
   B : 아니오, 사과가 아니에요.   No, it's not an apple.
       배예요.   It's a pear.

2) A : 친구예요?
   B : 아니오, 친구가 아니에요. 형이에요.

3) A : 학생이에요?
   B : 아니오, 학생이 아니에요. 회사에 다녀요.

4) A : 오늘 시험(이) 아니에요?
   B : 네, 맞아요. 두 시에 시험이 있어요.

3. | 그런데   //   by the way |

1) A : 어제 민섭씨를 만났어요.   I met Minseop yesterday.
   B : 그런데 요즘 민섭씨는   By the way, what does he
       뭘 해요?   do for a living ?
   A : 회사에 다녀요.   He works for a company.

2) A : 어제 서울에는 비가 많이 왔어요.

   그런데 부산에도 비가 많이 왔어요?

   B : 아니오. 부산에는 비가 안 왔어요.

3) A : 어제 우리집에 친구들이 많이 왔어요.

   그런데 수미씨는 왜 안 왔어요?

   B : 약속이 있었어요.

4) A : 어제 사과를 많이 샀어요.

   그런데 맛이 없었어요.

   B : 안됐군요.

4.

−에	at (time particle)

−에 is suffixed to time expressions to indicate the time at which something happens.

Time words which occur without the particle −에 are: 지금 "now", 어제 "yesterday", 오늘 "today", 내일 "tomorrow", etc.

오후에 시간 있어요?   Do you have time this afternoon?

몇 시에 학교에 가요?

아홉 시에 수업이 시작돼요.

아침에 운동을 해요?

다음 주에 시험이 있어요.

오늘 수업 있어요?

내일 만납시다.

올해 한국에 왔어요.

지금 뭐 해요?

어제 어디 갔어요?

90

5. "으" 불규칙

In case -아/어 is followed by 으, 으 is deleted. We choose -았습니다, -아서 or -었습니다, -어서 by the previous vowel of 으. When the previous vowel of 으 is 아, 오 we can choose -았습니다, -아서 but the other vowels comes before 으 we choose -었습니다. -어서.

아프 ┆ 아요 → 아파요
     ┆ 았어요 → 아팠어요
     ┆ 아서 → 아파서

1) A : 어디 아파요?
   B : 머리가 아파요.
2) A : 아직도 기분이 나빠요?
   B : 아까까지는 나빴지만 이젠 괜찮아요.
3) A : 왜 그 손수건을 샀어요?
   B : 예뻐서요.
4) A : 그 영화 슬퍼요?
   B : 네, 아주 슬퍼요.
5) A : 누구한테 편지를 썼어요?
   B : 친구한테 썼어요.

6. -(으)ㄹ까요? // Shall I (we)~

-(으)ㄹ까요 be used when we ask the other person's opinion about a certain undecided problem. In this pattern, the subject must be a first person and -(으)ㄹ까요 follows only after a verb stem.

저녁에 밖에서 만날까요?　　　　　Shall we meet outside tonight?

같이 영화를 볼까요?

빵을 먹을까요?

커피를 마실까요?

극장에 갈까요?

선생님한테 전화를 할까요?

여기에 앉을까요?

어디에 갈까요?

뭘 먹을까요?

누구한테 얘기할까요?

7. | −아 / 어요 // Let's ~ |

−아/어요 is the informal form of −(으)ㅂ시다.

1) A : 뭘 먹을까요?　　　　　What would you like to eat?

　 B : 불고기를 먹어요.　　　　Let's have Pulgogi.

2) A : 어디에 갈까요?

　 B : 설악산에 가요.

3) A : 누구한테 얘기할까요?

　 B : 선생님한테 얘기해요.

4) A : 뭘 할까요?

　 B : 테니스를 해요.

5) A : 커피를 마실까요?

　 B : 네, 좋아요.

6) A : 선생님한테 전화를 할까요?

　 B : 네, 그래요.

7) A : 여기에 앉을까요?

   B : 저쪽에 앉아요.

8) A : 밖에 나갈까요?

   B : 집에서 쉬어요.

연 습

1. 본문을 읽고 대답하세요.

   1) 영진씨는 오늘 수업이 없어요?
   2) 오늘 누가 시험을 봐요?
   3) 영진씨는 오늘 몇 시에 학교에 갔어요?
   4) 영진씨는 오늘 바빠요?
   5) 토마스씨와 영진씨는 저녁에 어디에서 만나요?
   6) 토마스씨와 영진씨는 저녁에 무엇을 해요?

2. 완전한 문장을 만드세요.

   1) 어제 민섭씨를 만났어요.

      그런데 요즘 민섭씨는 _____.
   2) 어제 서울에는 눈이 많이 왔어요.

      그런데 부산에도 _____.
   3) 어제 우리집에 친구들이 많이 왔어요.

      그런데 수미씨는 _____.
   4) 어제 배를 많이 샀어요.

      그런데 _____.
   5) 숙제가 많아요.

      그런데 _____.
   6) 배가 고파요.

      그런데 _____.

3. 대답하세요.

1) 몇 시에 일어나요?
   _____.

2) 아침에 운동을 해요?
   _____.

3) 시험이 언제 있어요?
   _____.

4) 언제 한국에 왔어요?
   _____.

5) 몇 시에 수업이 시작돼요?
   _____.

6) 오후에 시간 있어요?
   _____.

7) 언제 학교에 가요?
   _____.

8) 언제 텔레비전을 봐요?
   _____.

9) 언제 잠을 자요?
   _____.

10) 언제 친구를 만나요?
    _____.

4. 그림을 보고 이야기해 보세요.

5. '보기'에서 알맞은 말을 골라 고쳐 넣으세요.

---〈보 기〉---

아프다, 바쁘다, 슬프다, 고프다, 예쁘다, 기쁘다

1) 머리가 _____. 약 좀 주세요.
2) 배가 _____. 빨리 밥 주세요.
3) 오늘은 _____. 내일 만나요.
4) 장미꽃이 _____. 저걸 삽시다.
5) 너무 _____. 그래서 많이 울었어요.
6) 어제 우리팀이 이겼어요. 그래서 아주 _____.

6. A가 B에게 의견을 물어봅니다.
   '보기'와 같이 하세요.

───────⟨보 기⟩───────

A : 뭘 먹을까요?
B : 불고기를 먹어요.

1) A : 누구한테 _____?

   B : 언니한테 얘기해요.

2) A : 뭘 _____?

   B : 텔레비전을 봐요.

3) A : 어디에 _____?

   B : 저쪽에 앉아요.

4) A : 어디에 _____?

   B : 제주도에 가요.

5) A : 뭘 마실까요?

   B : _____.

6) A : 뭘 살까요?

   B : _____.

7) A : 테니스를 할까요?

   B : _____.

8) A : 밖에 나갈까요?

   B : _____.

새단어

학생	student	学生
다니다	to work in, to be in the service of, to attend	通う
요즘	in these days, nowadays	このごろ，近頃
비가 오다	to rain	雨が降る
부산	Pusan	釜山
-들	*plural suffix*	－達（複数）
약속	promise, appointment	約束
맛(이) 없다	(be) not delicious, (be) tasteless	まずい、おいしくない
안됐군요	I am sorry to hear that.	残念、気の毒ですね
시작되다	to begin	始まる
아침	morning	朝
운동(을) 하다	to exercise	運動する
다음	next	次
주	week	週
올해	this year	今年
한국	Korea	韓国
아프다	(be)painful, to have a pain	病気になる，痛い
나쁘다	(be)bad, (be)wrong, (be)harmful	悪い
고프다	(be)hungry	ひもじい
예쁘다	(be)pretty, (be)good-looking	かわいい
기쁘다	(be)glad, (be)happy	嬉しい
크다	(be)large, (be)big	大きい
불고기	Pulgogi (thin sliced barbecued beef)	プルコギ
테니스	tennis	テニス
배가 고프다	(be)hungry	お腹がすく
언제	when	いつ
잠(을) 자다	to sleep	寝る
약	drug, medicine	薬

장미꽃	rose	バラの花
울다	to cry	泣く
팀	team	チーム
제주도	Cheju Island	済州島

제 9 과 | 운동하러 체육관에 가요

수미 : 영진씨, 집이 어디예요?

영진 : 좀 멀어요. 잠실에 살아요.

수미 : 집에서 학교까지 얼마나 걸려요?

영진 : 1시간쯤 걸려요.

수미 : 버스 타고 와요?

영진 : 지하철로 동대문 운동장까지 와요.

　　　거기서 28번 버스로 갈아타요.

　　　수미씨는 집이 가깝지요?

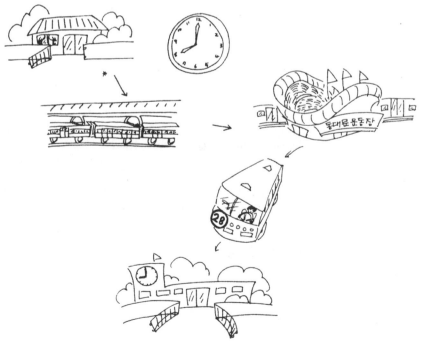

수미 : 네, 학교 근처에 살아요.

　　　그래서 걸어 다녀요.

영진 : 수미씨는 수업이 끝난 후에 보통 뭘 해요?

수미 : 친구도 만나고 도서관에서 공부도 해요.

　　　영진씨는 뭘 해요?

영진 : 나는 운동을 하러 체육관에 가요.

새단어

-에서	from	-から
-까지	to	-まで
-에서 -까지	from - to	-から-まで
얼마나	how long, how many(much)	どの程
걸리다	to take(time)	かかる
잠실	Chamshil	蚕室
-(으)로	by, by means of	-で
동대문운동장	Tongdaemun Stadium	東大門運動場
거기	there	そこ
-(으)로	into	-に
갈아타다	to transfer, to change(buses, trains)	乗りかえる
가깝다	(be)near	近い
-지요?	isn't it? aren't you?	-でしょう
근처	the neighborhood, nearby	近所
걸어 다니다	to come and go on foot, to attend on foot	歩いて通
끝나다	to be over, to come to an end	終わる
-(으)ㄴ 후에	after	-た後に
보통	usually	普通

도서관	library	図書館
-(으)러 가다	to go to,	-(し)に行く
	to go in order to do something	
체육관	gymnasium	体育館

기본문형

1. | ―에서   ―까지 / ―부터   ―까지 |

These mean same "from~to", but we use ―에서 ―까지 for the concept of place and ―부터 ―까지 for the concept of time.

1) A : 집에서 학교까지   How long does it take from
　　　얼마나 걸려요?   your home to school?

　B : 1시간쯤 걸려요.   It takes about one hour.

2) A : 서울에서 부산까지 뭘 타고 가요?

　B : 고속버스를 타고 가요.

3) A : 1층에서 4층까지 엘레베이터를 타고 올라가요?

　B : 아니오, 걸어서 올라가요.

4) A : 여기서 지하철 역까지 멀어요?

　B : 아니오, 걸어서 5분쯤 걸려요.

5) A : 수업이 몇 시부터 몇 시까지 있어요?

　B : 9시부터 1시까지 있어요.

6) A : 시험이 언제까지예요?

　B : 오늘부터 모레까지예요.

7) A : 어제 뭘 했어요?

　B : 아침부터 점심때까지 청소하고 오후에 친구를 만났어요.

8) A : 매일 수업 있어요?

　B : 아니오, 월요일부터 금요일까지 있어요.

2. | 시간 + 걸려요 // It takes (time)···

1) 집에서 학교까지 한시간쯤 걸려요. It takes about one hour from my home to school.

2) 여기서 지하철 역까지 걸어서 얼마나 걸려요?

3) 서울에서 부산까지 기차로 6시간쯤 걸려요.

4) 지하철을 타세요. 버스는 시간이 많이 걸려요.

3. | (교통수단)+을/를 타고 오다/ (교통수단)+(으)로 오다 걸어(서) 오다 // to come by (transportation), to come on foot

1) A : 집에서 학교까지 버스 타고 와요? Do you come to school by bus?

  B : 아니오, 지하철로 와요. No, I come to school by subway.

2) A : 서울에서 제주도까지 비행기로 가요?

  B : 아니오, 부산까지 기차로 가요. 거기서 배를 타고 가요.

3) A : 학교에 버스 타고 다녀요?

  B : 아니오, 걸어 다녀요.

4) A : 하숙집이 학교에서 가깝지요?

  B : 네, 그래서 매일 걸어서 와요.

4. | (교통수단)+(으)로 갈아타다 // to change (transportation)

1) A : 서울역에서 고대까지 어떻게 가요? How do I go from Seoul Station to Korea University?

  B : 지하철을 타고 제기역까지 오세요. Please come to Chegi 거기서 버스로 갈아타세요. station by subway and take the bus there.

2) A : 제주도까지 비행기 타고 가요?

　B : 아니오, 서울에서 부산까지 기차로 가요.

　　거기서 다시 배로 갈아타요.

3) A : 서울에서 런던까지 곧장 가요?

　B : 아니오, 도쿄에서 다른 비행기로 갈아타요.

4) A : 종로 2가에서 잠실 종합운동장까지 어떻게 가요?

　B : 종로 2가에서 1호선을 타고 시청까지 가세요.

　　거기서 2호선으로 갈아타세요.

5. | ―지요?

―지요 is used for asking about the things which the speaker already knows.

―지요 comes after the verb stem, adjective stem and noun ending in a vowel. But ―이지요 comes after nouns ending in a consonant. ―지요 is sometimes used in the contraction form ―죠. With ―지요 question we answer with the ―어요 form.

1) A : 수미씨는 집이 멀지요?　A : Sumi, your house is far from here, isn't it?

　B : 네, 멀어요.　　　　　B : Yes, I have a long way to go to my house.

2) A : 어제 민섭씨가 우리집에 전화했지요?

　B : 네, 내가 전화했어요.

3) A : 날씨가 따뜻하지요?

　B : 네, 정말 따뜻해요.

4) A : 커피가 달지요?

　B : 네, 좀 달아요.

5) A : 영진씨 아직 안 왔지요?

　B : 네, 아직 안 왔어요.

6. | −(으)ㄴ 후에 | after |

1) A : 수업이 끝난 후에 뭘 해요?　　　　　A : What do you do after class ?

B : 친구도 만나고 도서관에서 공부도 해요.　B : I meet my friends or study in the library.

2) A : 밥을 먹은 후에 뭘 해요?
   B : 차를 마셔요.

3) A : 친구를 만난 후에 뭘 해요?
   B : 집에 돌아가요.

4) A : 숙제를 끝낸 후에 뭘 해요?
   B : 텔레비전을 봐요.

7. | −(으)러 가다 | to go in order to do something |

−(으)러 expresses the purpose of the action. −(으)러 is attached to the stem of action verbs and is always followed by either 가다, 오다, 다니다 or their compounds.

   a) −러 after verb stems ending in a vowel or final consonant ㄹ.
   b) −으러 after verb stems ending in a consonant (except consonant ㄹ).

1) A : 어디 가요?　　　　Where are you going ?
   B : 다방에 가요.　　　I am going to coffee shop.
   A : 뭐 하러 가요?　　 What for ?
   B : 친구 만나러 가요.　I am going there to meet my friend.

2) 어디 가요?

　　공부하러 가요.

3) 오늘 저녁에 영화보러 갈까요?

　　미안해요. 저녁에 약속이 있어요.

4) 나중에 커피 마시러 오세요.

　　네, 고마워요. 나중에 갈게요.

5) 요즘 뭐 하세요?

　　매일 수영하러 다녀요.

6) 요즘 뭐 하세요?

　　한국어를 배우러 다녀요.

7) 저녁 먹으러 안 갈래요?

　　미안해요. 벌써 먹었어요.

8) 뭘 사러 가세요?

　　우유하고 빵을 사러 가요.

연 습

1. 본문을 읽고 대답하세요.

　1) 영진씨는 집이 어디예요?

　2) 영진씨 집은 학교에서 멀어요?

　3) 영진씨 집에서 학교까지 얼마나 걸려요?

　4) 영진씨는 뭘 타고 학교에 와요?

　5) 수미씨는 집이 어디예요?

　6) 수미씨는 버스 타고 학교에 와요?

　7) 수미씨는 수업이 끝난 후에 보통 뭘 해요?

　8) 영진씨는 수업이 끝난 후에 뭘 해요?

2. _____에 알맞은 말을 넣으세요.

1) A : 집_____ 학교_____ 얼마나 걸려요?

   B : 1시간쯤 걸려요.

2) A : 여기서 지하철 역_____ 걸어서 얼마나 걸려요?

   B : 5분쯤 걸려요.

3) A : 시험이 언제까지예요?

   B : 오늘_____ 모레_____예요.

4) A : 여기서 버스 정류장까지 멀어요?

   B : 아니오, 걸어서 5분쯤 _____.

5) A : 매일 수업 있어요?

   B : 아니오, 월요일_____ 금요일_____ 있어요.

6) A : 버스를 타고 갈까요?

   B : 지하철을 타요. 버스는 시간이 많이 _____.

7) A : 1층_____ 4층_____ 엘레베이터를 타고 올라가요?

   B : 아니오, 걸어서 올라가요.

8) A : 서울에서 부산까지 기차로 몇 시간 _____?

   B : 6시간쯤 _____.

9) A : 여기서 제주도 _____ 뭘 타고 가요?

   B : 비행기를 타고 가요.

10) A : 학교까지 매일 걸어 다녀요?

   B : 학교까지 걸어서 20분쯤 _____. 그래서 버스를 타요.

3. '보기'와 같이 하세요.

<보 기>

A : 집에서 학교까지 버스를 타고 와요?

B : 아니오, 지하철을 타고 와요.

1)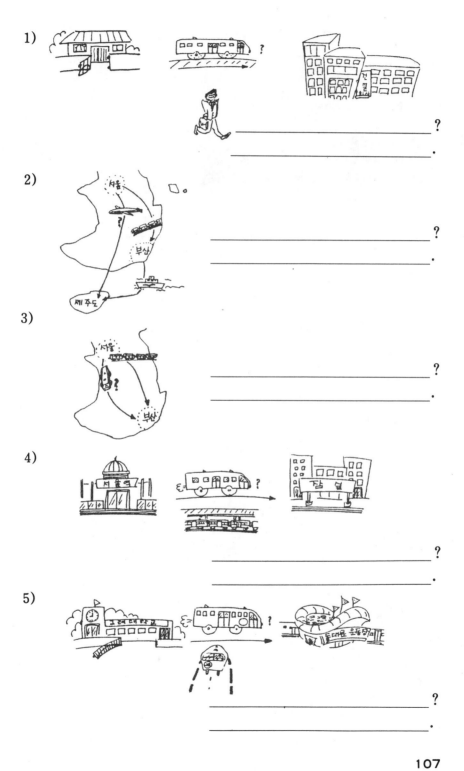

_____ ?

_____ .

2)

_____ ?

_____ .

3)

_____ ?

_____ .

4)

_____ ?

_____ .

5)

_____ ?

_____ .

4. '보기'와 같이 하세요.

<보　기>

수미씨는 집이 멀지요?
네, 멀어요.

1)

_____?

_____.

2)

_____?

_____.

3)

_____?

_____.

4)

_____?

_____.

5)

_____?

_____.

5. '보기'와 같이 하세요.

─〈보 기〉─

수업이 끝난 후에 뭘 해요?
도서관에서 공부해요.

1)

_____?

_____.

2)

_____ ?

_____ .

3)

_____ ?

_____ .

4)

_____ ?

_____ .

5)

_____ ?

_____ .

6. '보기'와 같이 하세요.

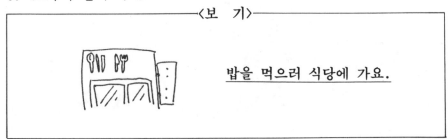

───〈보 기〉───

밥을 먹으러 식당에 가요.

110

1)

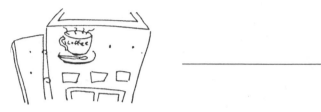

_____ .

2)

_____ .

3)

_____ .

4)

_____ .

5)

_____ .

6)

_____ .

새단어

-부터	from	-から
고속버스	express bus, highway bus	高速バス
역	railroad station	駅
모레	the day after tomorrow	あさって
점심	daytime	昼
매일	everyday	毎日
월요일	Monday	月曜日
금요일	Friday	金曜日
-(으)로	by means of	-で
비행기	airplane	飛行機
어떻게	how	どうやって、どのように
제기역	Chegi Station	祭基駅
하숙집	boarding	下宿 (家)
따뜻하다	(be)warm	暖かい
정말	really, truely	本当
달다	(be)sweet	甘い
아직	not yet, still	まだ
돌아가다	to go back	帰る
나중에	some time later, later, in the future	あとで
수영하다	to swim	水泳する
벌써	already	すでに、もはや
이발소	barber shop	理髪所
서점	book store	書店

제 10 과 | **복 습 II**

1. 지도를 보고 이야기해 보세요.

1) 지금 수미는 학교 앞에 있어요.

민섭 : 어디 가요?

수미 : 친구 만나러 가요.

　　　민섭씨는 어디 가요?

민섭 : 저는 은행에 가요.

　　　이 근처에 국민은행이 어디 있어요?

수미 : _____

　　　_____

민섭 : _____

　　　_____

2) 수미는 친구를 만나러 종로다방에 가요.

　수　미 : 택시!
　운전사 : 어서 오세요.
　수　미 : 종로 2가로 가 주세요.

　　　_____
　　　_____

　운전사 : 종로 2가 다 왔어요.
　수　미 : _____
　　　_____

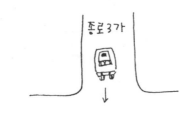

3) 수미는 친구 선영이와 만나서 백화점에 갔어요.

　수　미 : 구두를 어디서 팔아요 ?
　안내원 : _____
　　　　_____
　수　미 : _____

4) 앨버트는 오늘 영국 대사관에 가요.

　앨버트 : 영진씨, 영국대사관이 어디 있어요?

　영　진 : _____

　앨버트 : 몇 번 버스를 타고 가요?

　영　진 : _____

　　　　　_____

　앨버트 : _____

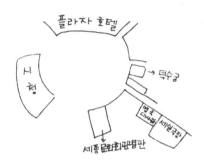

5) 수미는 어제 12시에 선영이와 종로 다방에서 만났어요. 그리고
같이 백화점에 가서 구두를 샀어요. 앨버트는 어제 영국 대사
관에 가서 책을 빌리고 집에 와서 수미에게 전화했어요. 그런데
수미가 없었어요. 다음날 수미와 앨버트가 학교에서 만났어요.

　수　미 : 안녕하세요, 앨버트씨.

　앨버트 : _____

　　　　　_____

　수　미 : _____

　　　　　_____

　앨버트 : _____

　수　미 : _____

　앨버트 : _____

6) 다음 그림을 보고 이야기 하세요.

7) 다음을 보고 서로 이야기하세요.

수미	준호	형진
학생	학생	회사원
학교 : 고대	학교 : 연대	회사 : 명동
집 : 안암동	집 : 잠실	집 : 신촌

1) 수미 : 준호씨는 집이 어디예요?
　　준호 : ＿＿＿＿＿＿＿＿＿＿
　　　　　＿＿＿＿＿＿＿＿＿＿

　　수미 : 아니오, 안 멀어요.
　　　　　준호씨는 학교에 뭘 타고 가요?
　　준호 : ＿＿＿＿＿＿＿＿＿＿
　　수미 : 지하철에 사람이 많죠?
　　준호 : 아침에는 ＿＿＿＿＿＿
　　　　　＿＿＿＿＿＿＿＿＿＿

2) 수미 : 형진씨 회사가 어디 있어요?
　　형진 : ＿＿＿＿＿＿＿＿＿＿＿
　　수미 : ＿＿＿＿＿＿＿＿＿＿＿
　　형진 : ＿＿＿＿＿＿＿＿＿＿＿
　　수미 : ＿＿＿＿＿＿＿＿＿＿＿
　　형진 : ＿＿＿＿＿＿＿＿＿＿＿

잠깐 쉬세요.

제 11 과 | 여보세요, 고려대학교지요?

수 미 : 여보세요. 거기 이인호 선생님 댁이지요?

사모님 : 네, 그렇습니다.

수 미 : 지금 선생님 계십니까?

사모님 : 네, 잠깐만 기다리세요.

수미 : 여보세요. 거기 302-1470이지요?

철수 : 아닌데요. 잘못 걸었습니다.

　　　여기는 302-1479입니다.

수미 : 죄송합니다.

모리 : 여보세요.

교환 : 네, 고려대학교입니다.

모리 : 270번 좀 부탁합니다.

교환 : 통화중인데요. 잠시 기다리세요.

토 마 스 : 여보세요. 거기 철수네 집입니까?

철수누나 : 네, 그런데요.

토 마 스 : 철수 좀 바꿔 주세요.

철수누나 : 지금 집에 없는데요. 누구세요?

토 마 스 : 저 토마스인데요, 나중에 다시
　　　　　　전화할게요.

새단어

여보세요	Hello	もしもし
고려대학교	Korea University	高麗大学校
댁	home (*honorific*), (esteemed)house	お宅
그렇습니다	Yes, it is.	そうです
-ㅂ/습니다	*formal form of* -아/어요	格式体終結語尾
계시다	to be (*honorific*)	いらっしゃる
잠깐만	just a moment	少し, ちょっと
기다리다	to wait	待つ
-(으)ㄴ데요	*informal polite form of* -ㅂ/습니다	-ㅂ/습니다 のくだけた型

잘못 걸다	to have the wrong number	番号などをまちがって電話をかける
-입니다	to be (*the polite formal form of* -이다)	―です
죄송합니다	I'm sorry.	申し訳ありません
부탁하다	to request	願う，たのむ
통화중	busy(telephone)	通話中
잠시	for a moment	ちょっとの間
-이	*suffix for person's name*	名前に付く接尾辞
-네	family (*plural possessive suffix*)	家族
그런데요	Yes, it is.	そうですが
바꾸다	to exchange	とりかえる
-(으)ㄹ게요	I will (*the expression for the subject's intention*)	～します
사모님	teacher's wife (*honorific*)	奥様
교환	telephone operator	交換(手)

기본문형

---

1. | 수 (Chinese Numbers) |
|---|

1	일	이 삼 사 오 육(륙) 칠 팔 구
10	십	이십 ··
100	백	···
1,000	천	···
10,000	만	···
100,000	십만	···
1,000,000	백만	···
10,000,000	천만	···
100,000,000	억	···

27	이십칠
536	오백삼십육
2,974	이천구백칠십사
30,650	삼만 육백오십
126,070	십이만 육천칠십
1993년 11월 28일	천구백구십삼 년 십일 월 이십팔 일
2015년 6월 19일	이천십오 년 유 월 십구 일

2. 전화번호

We read a telephone number in two ways.

a) To read the each number separately and read dash '—' as -의.

b) To read the number divided into two classes: the district number and the individual number. Usually, we add -국의 after the district number and -번 after the individual number. The area number comes at the very beginning.

302-1470 삼공이의 일사칠공
삼백이 국의 천사백칠십 번

920-1787 구이공의 일칠팔칠
구백이십 국의 천칠백팔십칠 번

657-3029 육오칠의 삼공이구
육백오십칠 국의 삼천이십구 번

438-0946 사삼팔의 공구사육
사백삼십팔 국의 구백사십육 번

122

3.

> Noun + (이)ㄴ데요
> Adjective + (으)ㄴ데요
> Verb + 는데요

This is the informal polite form of -ㅂ니다/습니다.

1) A : 여보세요.   A : Hello.
   B : 저 수민데요.   B : This is Sumi.
      김선생님 좀 바꿔 주세요.   May I speak to Mr. Kim.

2) A : 270번 좀 바꿔 주세요.
   B : 통화중인데요. 잠깐만 기다리세요.

3) A : 여보세요. 거기 수미네 집이지요?
   B : 아닌데요. 잘못 걸었습니다.

4) A : 오늘 시간 있어요?
   B : 오늘은 바쁜데요. 왜요?

5) A : 수미 있어요?
   B : 없는데요. 누구세요?

6) A : 수미 있어요?
   B : 학교에 갔는데요.

4.

> 사람이름 + -이

When we say about friends or younger people, we usually add the suffix -이 after one's name. This applies only to a name ending in a consonant.

1) 저기 수미가 와요. Sumi is coming over there.

나는 수미한테 인사를 했어요. I greeted her.

수미는 나한테 손을 흔들었어요. She waved her hand to me.

2) 저기 영진이가 와요.

나는 영진이한테 인사를 했어요.

영진이는 나한테 손을 흔들었어요.

5. | –(으)ㄹ게요 // I will~ |

–(으)ㄹ게요 and –겠어요 express the subject's intention. It is usually used with the first person in statements.

We use –(으)ㄹ게요 more often than –겠어요 in conversation.

1) A : 영진이 있어요? A : Is Yeongjin at home?

B : 없는데요. 누구세요? B : No, he is not at home.

A : 저 토마스인데요. Who is calling?

나중에 제가 다시 A : This is Thomas.

전화할게요. I will call again later.

2) A : 커피를 마시고 싶어요.

B : 내가 타 줄게요.

3) A : 어디서 만날까요?

B : 내가 사무실로 갈게요.

4) A : 일이 너무 힘들어요.

B : 내가 도와 줄게요.

124

5) A : 구두가 커요.
   B : 그럼 나한테 주세요.
      내가 신을게요.

6) A : 체육복으로 갈아입으세요.
   B : 네, 지금 갈아입을게요.

연 습

1. 읽으세요.

   1) 597-4358
   2) 920-1787
   3) 602-7689
   4) 324-1609
   5) 1991년 4월 3일
   6) 1325년 6월 14일
   7) 2001년 10월 8일
   8) 1970년 12월 25일
   9) 504원
   10) 2,600원
   11) 50,700원
   12) 604,820원

2. '보기'와 같이 하세요.

┌─────────────〈보 기〉─────────────┐

A : 날씨가 좋지요 ?
B : 네, 날씨가 좋아요.

└──────────────────────────────┘

1) A : _____?

   B : 네, 배 고파요.

2) A : _____?

   B : 네, 빵이 아주 맛있어요.

3) A : _____?

   B : 네, 열심히 공부해요.

4) A : _____?

   B : 네, 영진씨도 가요.

5) A : _____?

   B : 네, 밖에 눈이 와요.

6) A : _____?

   B : 네, 저 사람이 영진씨 동생이에요.

7) A : _____?

   B : 네, 오늘은 월요일이에요.

8) A : _____?

   B : 네, 저 분이 영진씨 아버지예요.

3. '-아/어요'를 '-ㄴ데요' 형으로 바꾸어 말하세요.

   1) A : 여보세요.

      B : 거기 수미네 집이죠? 수미 있어요?

      A : 저예요. 누구세요?

   2) A : 여보세요.

      B : 거기 고려대학교죠?

      A : 아니에요. 잘못 걸었어요.

   3) A : 여보세요.

      B : 거기 국민은행이지요? 324번 좀 부탁합니다.

      A : 통화중이에요. 잠시 기다리세요.

4) A : 여보세요.

　　B : 거기 영진이네 집이죠? 영진이 있어요?

　　A : 학교에 갔어요.

5) A : 여보세요.

　　B : 거기 김선생님 댁이죠? 김선생님 계십니까?

　　A : 안 계세요. 누구세요?

6) A : 저 사람 누구예요?

　　B : 김선생님 친구예요. 왜요?

7) A : 시간 있어요?

　　B : 있어요. 왜요?

8) A : 지금 바빠요?

　　B : 네, 좀 바빠요. 왜요?

4. 그림을 보고 대답하세요.

1) 방에 누가 있어요?

   _____.

2) 누가 커피를 마셔요?

   _____.

3) 누가 담배를 피워요?

   _____.

4) 누가 전화를 해요?

   _____.

5) 수미는 누구한테 전화를 해요?

   _____.

5. 그림을 보고 이야기를 완성하세요.

1)

수미 : 영진이 있어요?
영진이 누나 : 없는데요. 누구세요?
수미 : 수미예요.
　　　나중에 다시 _____.

2)

수미 : 힘들어요.
　　　좀 도와 주세요.
영진 : _____.

3)

수미 : 머리 아파요.

영진 : 내가 약을 _____.

4)

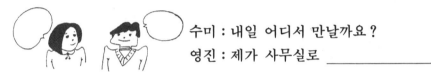

수미 : 내일 어디서 만날까요?

영진 : 제가 사무실로 _____.

5)

수　미 : 방이 너무 깜깜해요.

미나미 : 제가 불을 _____.

6)

수미 : 사전이 없어요.

　　　사전 있어요?

영진 : 제가 _____.

7)

수미 : 잘 모르겠어요.

영진 : 제가 _____.

8)

수 미 : 벌써 8시예요.

미나미 : 5분 후에 _____.

새단어

분(사람)	(esteemed)person (*a word of respect for the person indicated*)	方様(他人を指して言う尊敬語)
인사(를) 하다	to greet, to say hello	あいさつをする
손	hand	手
흔들다	to shake	振る
(커피를)타다	to dilute instant coffee with water, to put in	(コーヒーを)いれる、わかす

130

너무	too much	あんまり、ずいぶん
힘들다	to be hard, to be laborious	骨がおれる、疲れる
도와 주다	to help	助ける
체육복	sports wear	体操服
갈아입다	to change clothes	(服を) 着換える
눈	snow	雪
왜	why	なぜ、どうして
담배를 피우다	to smoke, to have a cigarette	タバコを吸う
머리	the head	頭
깜깜하다	(be) very dark	真暗だ
불을 켜다	to switch on the lights	あかりをつける
후	after	後

제 12 과 | 연극을 보고 싶어요

수미 : 늦어서 미안해요.

영진 : 괜찮아요. 나도 방금 왔어요.

　　　 날씨 꽤 춥죠 ?

수미 : 네, 정말 추워요.

영진 : 뭐 마실래요 ?

수미 : 커피 마실래요.

영진 : 그런데 오늘 뭐 할까요 ?

수미 : 연극을 보고 싶어요.

영진 : 호암 아트홀에서 로미오와 줄리엣을 하는데,

　　　 보러 갈까요 ?

수미 : 네, 좋아요.

새단어

-고 싶다	would like to, want to	-(し)たい
-아/어서	so, and then (*connective suffix*)	-て
방금	just now, just a moment ago	ちょうど
꽤	quite, fairly	とても
춥다	(be) cold	寒い
-(으)ㄹ래요?	Would you-(*the proposal ending*)	-ますか(勧誘)
호암 아트홀	Hoam Art Hall	湖巌アートホール
로미오와 줄리엣	Romeo and Juliet	ロミオと ジュリエット
-는데	such being the case	-のに、-で

기본문형

1. | -아 / 어서 | // | so, and then |

-아/어서 is the causal conjunctive ending. It is always suffixed to stem and it has no tense but the real time of the clause in -아/어서 is determined by the tense of the concluding clause. In sentences with a conjuctive clause in -아/어서 which implies cause, the concluding clause is never in the imperative mood or the propositive mood.

1) A : 어제 왜 병원에 갔어요? Why did you go to the hospital, yesterday?

   B : 머리가 아파서 병원에 갔어요. I got a headache, so I went to the hospital.

2) A : 왜 울어요?

　　B : 영화가 너무 슬퍼서 울어요.

3) A : 왜 그렇게 술을 많이 마셨어요?

　　B : 기분이 나빠서 술을 많이 마셨어요.

4) A : 왜 그렇게 화가 났어요?

　　B : 버스를 너무 오래 기다려서 화가 났어요.

5) A : 늦어서 미안해요.

　　B : 괜찮아요.

6) A : 가방 샀어요?

　　B : 너무 비싸서 안 샀어요.

2. | ㅂ 불규칙 |

Some verbs of whose stems end in ㅂ are irregular. When the final ㅂ is followed by a vowel, it turns into an 오 or 우. In conjugating, 오 is combined into 아, and 우 is combined into 어 and 으. Each is contracted as 와, 워, 우 respectively. But in the case of ㅂ irregular verb, it does not take the -았습니다, -아서 form. There are only two exceptions (돕다, 곱다).

춥 : 어요　 → 추워요

　　 었어요 → 추웠어요

　　 어서　 → 추워서

1) A : 날씨가 꽤 춥죠?　　　　It's cold, isn't it?

　　B : 네, 정말 추워요.　　　 Yes, it's really cold.

2) A : 우체국이 여기서 멀어요?

　　B : 아니오, 가까워요.

134

3) A : 어제는 정말 고마웠습니다.

B : 뭘요.

4) A : 커피가 너무 뜨거워요.

B : 그럼 좀 있다가 마셔요.

5) A : 시험 어려웠어요?

B : 아니오, 별로 안 어려웠어요.

6) A : 왜 안 먹어요?

B : 김치가 너무 매워서요.

7) A : 이 색 참 곱죠?

B : 네, 정말 고와요.

8) A : 가방이 너무 무거워요.

B : 내가 도와 줄게요.

3. | 따뜻하다, 덥다, 시원하다, 춥다 / 뜨겁다, 차(갑)다 |

1) 봄이에요. 날씨가 따뜻해요.   Spring has come. It's warm.

2) 여름이에요. 더워요.

3) 가을이에요. 시원해요.

4) 겨울이에요. 추워요.

5) 물이 끓어요. 뜨거워요.

6) 커피에 얼음을 넣었어요. 커피가 차요.

4. | -(으)ㄹ래요? / -(으)ㄹ래요 |

-(으)ㄹ래요? and -고 싶어요? are used in asking the listener's intention and -(으)ㄹ래요, -고 싶어요 for the expression of the speaker's intention to respond to what the speaker has just said.

-(으)ㄹ래요? / -(으)ㄹ래요 is an ending for friendly words of

-고 싶어요 ? / -고 싶어요.

1) A : 뭐 마실래요 ?　　　　　　　What do you want to drink ?
　　B : 커피 마실래요.　　　　　　I will take a cup of coffee.

2) A : 뭐 먹을래요 ?
　　B : 불고기 먹을래요.

3) A : 뭐 할래요 ?
　　B : 영화 볼래요.

4) A : 어디 갈래요 ?
　　B : 설악산에 갈래요.

5) A : 뭐 입을래요 ?
　　B : 청바지 입을래요.

6) A : 맥주 마실래요 ?
　　B : 아뇨, 콜라 주세요.

7) A : 연극 볼래요 ?
　　B : 네, 그래요.

8) A : 담배 피울래요 ?
　　B : 아뇨, 괜찮아요.

5.　| -고 싶다　　　　　　　　// want to, would like to |

1) A : 뭘 하고 싶어요 ?　　　　　What do you want to do ?
　　B : 신문을 보고 싶어요.　　　I want to read a newspaper.

2) A : 뭘 하고 싶어요 ?
　　B : 자고 싶어요.

3) A : 어디 가고 싶어요 ?
　　B : 영국에 가고 싶어요.

4) A : 뭘 마시고 싶어요?

　　B : 쥬스를 마시고 싶어요.

5) A : 뭘 먹고 싶어요?

　　B : 비빔밥을 먹고 싶어요.

6) A : 엄마가 보고 싶어요.

　　B : 그럼 전화하세요.

7) A : 뭘 사고 싶어요?

　　B : 카메라를 사고 싶어요.

8) A : 뭘 배우고 싶어요?

　　B : 한국노래를 배우고 싶어요.

6. | **―는데** // **conjunctive introduction** |

―는데 attached to the verb or ―있다, ―없다 adjective of a non-final sentence, serves as an introduction to the sentence which follows.

1) A : 수미씨 어디 있어요?　　Where is Sumi?

　　B : 지금 집에 있는데　　She is at home, may I call her?
　　　　전화할까요?

2) A : 커피 주세요.

　　B : 커피 없는데 홍차 안 마실래요?

3) A : 누굴 기다려요?

　　B : 수미를 기다리는데 아직 안 와요.

4) A : 어제 산에 갔는데 사람이 많았어요.

　　B : 그래요? 나도 산에 갔어요.

5) A : 부산에 언제 가요?

　　B : 내일 가는데 같이 갈래요?

6) A : 비가 오는데 우산 안 써요?

　　B : 우산이 없어요.

137

연 습

1. 본문을 읽고 대답하세요.

   1) 누가 먼저 왔어요?

   2) 영진씨는 수미씨를 많이 기다렸어요?

   3) 날씨가 더워요?

   4) 두 사람은 어디에서 만났어요?

   5) 수미씨는 뭘 마셨어요?

   6) 호암 아트홀에 뭐 하러 가요?

2. 대답하세요.

   1) A : 어제 왜 병원에 갔어요?

        B : _____ .

   2) A : 어제 왜 안 왔어요?

        B : _____ .

   3) A : 왜 울어요?

        B : _____ .

   4) A : 왜 전화 안 했어요?

        B : _____ .

   5) A : 왜 가방 안 샀어요?

        B : _____ .

   6) A : 왜 안 먹어요?

        B : _____ .

   7) A : 왜 화가 났어요?

        B : _____ .

   8) A : 왜 늦었어요?

        B : _____ .

3. ___에 알맞은 말을 넣으세요.

1) A : 날씨가 꽤 춥죠?

　　B : 네, 정말 _____.

2) A : 우체국이 여기서 멀어요?

　　B : 아니오, _____.

3) A : 커피가 너무 _____.

　　B : 그럼 좀 이따가 마셔요.

4) A : 시험 어려웠어요?

　　B : 아뇨, _____.

5) A : 왜 안 먹어요?

　　B : 김치가 너무 _____.

6) A : 이 색 참 곱죠?

　　B : 네, 정말 _____.

7) A : 가방이 너무 _____.

　　B : 내가 도와 줄게요.

8) A : 방이 너무 _____.

　　B : 내가 청소할게요.

4. '보기'와 같이 하세요.

〈보 기〉

뭐 마실래요?
커피 마실래요.

1)

_____ ?

_____ .

2)

_____ ?

_____ .

3)

_____ ?

_____ .

4)

김치찌개   설렁탕

_____ ?

_____ .

5)

_____ ?

_____ .

140

6)

_____?

_____.

5. '보기'와 같이 하세요.

〈보 기〉

뭘 하고 싶어요?
신문을 보고 싶어요.

1)

_____?

_____.

2)

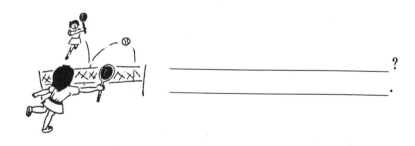

_____?

_____.

3)

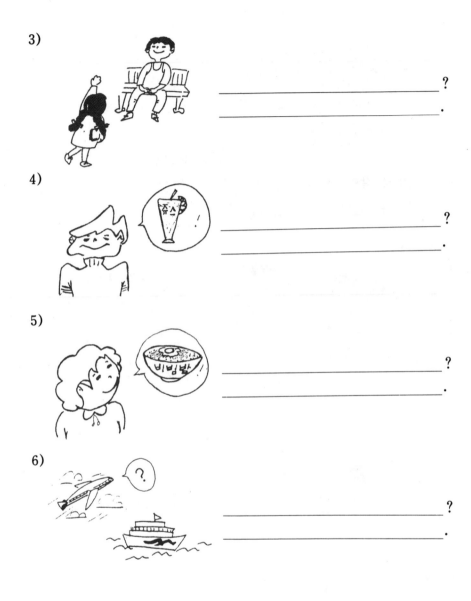

             _____?

             _____.

4)

             _____?

             _____.

5)

             _____?

             _____.

6)

             _____?

             _____.

6. '보기'와 같이 하세요.

〈보 기〉

A : 수미씨 어디 있어요?

B : 지금 집에 있는데 전화할까요?

1) A : 배가 고파요.

　　B : 나도 배가 ＿＿＿＿＿＿＿ 같이 밥 먹을까요?

2) A : 커피 주세요.

　　B : 커피 ＿＿＿＿＿＿＿ 홍차 안 마실래요?

3) A : 누굴 기다려요?

　　B : 수미를 ＿＿＿＿＿＿＿ 아직 안 와요.

4) A : 택시를 ＿＿＿＿＿＿＿ 늦었어요.

　　B : 다음부터는 지하철을 타세요.

5) A : 어제 불고기를 ＿＿＿＿＿＿＿ 정말 맛있었어요.

　　B : 어디에서 먹었는데요?

6) A : 어제 시험을 ＿＿＿＿＿＿＿ 성적이 나빴어요.

　　B : 열심히 공부하세요.

새단어

그렇게	so much, to that extent	そんなに、そのように
화가 나다	to get angry	怒る
오래	for a long time	長い間
덥다	(be) hot, to feel hot	暑い
시원하다	(be) refreshing, (be) cool	さわやかだ、さっぱりする
고맙다	(be) appreciative, (be) grateful	有り難い
고마워요	Thank you.	ありがとう
뭘요	Don't mention it.	たいした事じゃない, 何でもない
뜨겁다	(be) hot	熱い
이따가	after a short time, a little later	あとで
어렵다	(be) difficult	難しい
김치	Kimchi	キムチ

맵다	(be) hot, spicy	辛い
색	color	色
참	very	本当
곱다	(be) pretty	きれいだ
맥주	beer	ビール
영국	England	英国
카메라	camera	カメラ
배우다	to learn	習う
노래	song	歌
홍차	black tea	紅茶
그래요?	Really?	本当ですか
우산을 쓰다	to hold up an umbrella	傘をさす
성적	score, grade	成績

제 13 과 늦게 와서 미안해요

모 리 : 영진씨 왜 아직도 안 오죠?

수 미 : 글쎄요. 너무 걱정하지 마세요.

　　　 곧 올 거예요.

영 진 : 늦게 와서 미안해요.

　　　 너무 피곤해서 시계 소리를 못 들었어요.

모 리 : 빨리 차 타러 가요.

영 진 : 잠깐만요.

　　　 화장실에 갔다올게요.

수 미 : 이번엔 늦지 마세요.

새단어

-게	*adverbial ending*	副詞形語尾
아직도	not yet	今でも、まだ
글쎄요	Let me·see.	そうですねえ‥
걱정하다	to worry	心配する
-지 마세요	Don't (do something)	ーないで下さい
	(*the imperative form of* -지 말다)	
곧	soon	すぐ
-(으)ㄹ 거예요	will be (*surmise ending*)	ーでしょう
시계	clock, watch	時計
소리	sound	音
못	can't	できない
듣다	to listen, to hear	聞く
갔다오다	came back	行って来る
이번	this time	今度、今回

기본문형

1. | -지 마세요 // Don't (do something) |

-지 마세요 is the negative form of -(으)세요, so it expresses prohibition or dissuasion.

1) 아기가 자요. 떠들지 마세요. The baby is sleeping, don't speak loudly.

2) 건강에 나빠요. 담배 피우지 마세요.

3) 12시에 학교 앞에서 만나요. 늦지 마세요.

146

4) 오늘 저녁에 수미씨한테 전화하세요. 잊지 마세요.

5) 위험해요. 가지 마세요.

6) 술을 많이 마시지 마세요.

2. | ―(으) ㄹ 거예요 | // | will probably |

―(으)ㄹ 거예요 is a sentence ending used to indicate the speaker's conjecture or some possibility of something. It is a contracted form of ―(으)ㄹ 것이에요.

1) A : 영진씨는 안 와요?　　　　　Is Yeongjin not going to come?

　 B : 곧 올 거예요.　　　　　　　He'll probably come soon.

2) A : 수미씨도 내일 영화 보러 가요?

　 B : 잘 모르겠어요. 아마 갈 거예요.

3) A : 영진씨 어디에 있어요?

　 B : 아마 집에 있을 거예요.

4) A : 영진씨 어제 부산에 갔어요?

　 B : 아마 갔을 거예요.

5) A : 수미씨는 오늘도 지각이에요?

　 B : 감기에 걸려서 아마 오늘은 못 올 거예요.

6) A : 앨버트씨가 한국음식을 잘 먹을까요?

　 B : 아마 잘 먹을 거예요.

3. | ―게 |

If an adjective comes before a verb and modifies the verb, we have to add ―게 to the adjective stem. In other words, "adjective stem+게" form functions as an adverb.

147

1) 늦게 와서 미안해요.   I'm sorry, I'm late.

2) 맛있게 드세요.

3) 저 아이 정말 귀엽게 생겼어요.

4) 시끄럽게 떠들지 마세요.

5) A : 어제 저녁에 텔레비전에서 야구 봤어요?

   B : 네, 참 재미있게 봤어요.

6) A : 안 들려요. 크게 말하세요.

   B : 미안해요. 목이 아파서요.

---

4 | 못   // can't

못 indicates impossibility.

1) 시계소리를 못 들었어요.   I couldn't hear the alarm.

2) 아직 한국말을 잘 못해요.

3) 다리가 아파서 못 걸어가요.

4) A : 수영을 잘해요?

   B : 아니오, 못해요.

5) A : 왜 숙제 안 했어요?

   B : 시간이 없어서 못 했어요.

6) A : 점심 안 먹었어요?

   B : 바빠서 못 먹었어요.

---

5. | ㄷ 불규칙

Some verbs of that those stems end in ㄷ are irregular. When the final ㄷ is followed by a vowel, it turns into an ㄹ.

들   어요   → 들어요

       었어요 → 들었어요

       어서   → 들어서

듣다 : 음악을 듣고 싶어요.   I want to listen to the music.

      그 이야기를 듣지 마세요.   Don't listen to that story.

      음악을 들어요.   I listen to music.

      음악을 들었어요.   I listened to the music.

      잘 들으세요.   Listen, carefully.

묻다 : 길을 물어 봐요.

(→물어   길을 물어 봤어요.

  보다)   선생님한테 물어 보세요.

      언니한테 물었어요.

걷다 : 많이 걸어서 다리가 아파요.

      어제 하루종일 걸었어요.

연 습

1. '보기'와 같이 하세요.

〈보 기〉

아기가 자요.
떠들지 마세요.

1)

여기에서는 금연이에요.

_____.

2)

위험해요.

_____.

3)

술을 많이 마셨어요.

_____.

택시를 타고 가세요.

4)

내일 8시까지 꼭 오세요.

_____.

5)

물이 너무 뜨거워요.

_____.

6)

열이 많이 있어요.

_____.

2. '보기'와 같이 하세요.

<보 기>

A : 영진씨 왜 안 와요?
B : 지금 오고 있을 거예요.

1)

A : 내일 날씨 좋을까요?
B : _____.

2)

A : 영진씨가 수미씨한테 얘기했어요?
B : _____.

3)

A : 수미씨 지금 어디 있어요?

B : _____.

4)

A : 수미씨 지금 뭐 하고 있을까요?

B : _____.

5)

A : 부산에 도착했을까요?

B : _____.

6)

A : 수미씨 어디 갔어요?

B : _____.

3. _____에 알맞은 말을 넣으세요.

1) A : 오늘 좀 늦었지요?

   B : 네, 좀 _____ 갔어요.

2) A : 갈비가 맛있었어요?

   B : 네, 아주 _____ 먹었어요.

3) A : 이선생님 딸 예뻐요?

　　B : 네, 아주 ＿＿＿＿＿＿ 생겼어요.

4) A : 어제 영화 봤어요?

　　B : 네, ＿＿＿＿＿＿ 봤어요.

5) 선생님, 글씨가 안 보여요.

　　＿＿＿＿＿＿ 써 주세요.

6) 소리가 너무 커요.

　　좀 ＿＿＿＿＿＿ 이야기하세요.

4. ＿＿＿에 알맞은 말을 넣으세요.

1) A : 수미씨 봤어요?

　　B : 아니오, ＿＿＿＿＿＿＿＿.

2) A : 아기 많이 컸지요? 지금 밥 먹어요?

　　B : 아니오, 아직 ＿＿＿＿＿＿＿＿.

3) A : 어제 구두 샀어요?

　　B : 아니오, 돈이 모자라서 ＿＿＿＿＿＿＿＿.

4) A : 일요일에 산에 갔다왔어요?

　　B : 아니오, 피곤해서 ＿＿＿＿＿＿＿＿.

5) A : 기타 잘 쳐요?

　　B : 아니오, ＿＿＿＿＿＿＿＿.

6) A : 한국말 잘 해요?

　　B : 아니오, ＿＿＿＿＿＿＿＿.

5. ＿＿＿에 알맞은 말을 넣으세요.

1) A : 저 사람 누구예요?

　　B : 나도 잘 모르겠어요.

　　　　수미씨한테 ＿＿＿＿＿＿.

　　A : 수미씨한테도 ＿＿＿＿＿.

　　　　그런데 수미씨도 몰라요.

2) A : 아까 무슨 음악을 _____ ?

　　B : 팝송이에요.

　　　　무슨 음악을 좋아해요?

　　A : 클래식을 자주 _____.

3) A : 우체국이 어디에 있어요?

　　B : 잘 모르겠어요.

　　　　다른 사람한테 _____.

4) A : 어디 아파요?

　　B : 다리가 아파요.

　　　　어제 하루종일 _____.

새단어

떠들다	to make a noise	騒ぐ
건강	health	健康
잊다(잊어버리다)	to forget	忘れる
위험하다	(be)dangerous	危険だ
잘	well	よく、上手に
모르다	to do not know	知らない
아마	maybe	たぶん
지각	being late	遅刻
뛰어오다	to come running	走って来る
감기(에) 걸리다	to take cold	かぜをひく
쉽다	(be)easy	やさしい、簡単だ
드세요	help yourself, please go ahead (eating, drink)	召し上って下さい
아이	child	子供
귀엽다	(be)cute, (be)charming,	かわいい
생기다	to have looks	−ように見える、生ずる

시끄럽다	(be) noisy	うるさい
들리다	to be heard, to be audible	聞こえる
말하다	to speak, to talk	話す
목	neck	首
걸어가다	to go on foot	歩いて行く
못하다	can't do something	できない
하루종일	all day long	1日じゅう
금연	no smoking	禁煙
열	fever	熱
도착하다	to arrive, to reach	到着する
갈비	broiled short-ribs	カルビ
딸	daughter	娘
글씨	writing, handwriting, character	字、文字
보이다	be able to see	見える
크다	to grow up	育つ
모자라다	be short of, be insufficient, be lack	不足する
기타를 치다	play the guitar	ギターを弾く

제 14 과 | 같이 등산 갈래요?

영진 : 안녕하세요, 수미씨.

　　　지금 뭐 하고 있어요?

수미 : 그냥 앉아 있었어요.

　　　그런데 웬일이에요?

영진 : 일요일에 친구들하고 등산가기로 했는데

　　　같이 안 갈래요?

수미 : 어디로 가요?

영진 : 도봉산에 갈 거예요.

　　　같이 갈래요?

수미 : 한 번 생각해 볼게요.

영진 : 가고 싶으면 토요일 오후까지 전화해 주세요.

등산	climbing	登山
-고 있다	to be doing(*progressive ending*)	-ている
그냥	just, without doing anything	ただ、そのまま
-아/어 있다	be in a state resulting from	-ている(ある状態にある)
웬일	what matter, what reason	どういう理由、何の用
-기로 하다	to decide to do, to promise to do, to agree to do	-にする
-(으)ㄹ 거예요	be going to, will (*ending for subject's will*)	-でしょう
한번	once	一度
-아/어 보다	to try, to have a try at	-て見る
-(으)면	if (*connective suffix for the conditional*)	-たら、なら
토요일	Saturday	土曜日

기본문형

1. | **-고 있다** | **to be doing** |

The pattern -고 있다 is used only with action verbs and indicates that an action is actually progressing. In Korean the progressive form is not used as extensively as in English. To express the simple progressive aspect of an action, it is usually sufficient to use the simple present tense form.

-고 있다 be used for the progressive action, but -아/어 있다 mainly comes after an intransitive verb for a state.

1) 수미가 의자에 앉고 있어요. Sumi is sitting on the chair.
   영진이가 의자에 앉아 있어요. Youngjin is sitting on the chair.

2) 수미가 일어서고 있어요.
   영진이가 일어서 있어요.

3) 수미가 학교에 오고 있어요.
   영진이가 학교에 와 있어요.

4) 수미가 학교에 가고 있어요.
   영진이가 학교에 가 있어요.

5) 밥을 먹고 있어요.

6) 친구하고 얘기하고 있어요.

7) 청소하고 있어요.

8) 신문을 보고 있어요.

2. ─기로 하다 // to decide to do

─기로 하다 comes after a verb, and expresses a promise, a decision or an agreement of the subject of a sentence. So we can translate this as follows: "promise to do", "make up one's mind to do", or "agree to do".

1) 내일은 수미씨 생일이에요. Tomorrow is Sumi's birthday.
   그래서 같이 저녁 먹기로 So we planned to have dinner
   했어요. together.

2) 나는 언제나 늦잠을 자요.
   그렇지만 내일부터 일찍 일어나기로 했어요.

3) 요즘 아파요.
   그래서 술을 안 마시기로 했어요.

4) 저녁에 영진씨하고 영화 보러 가기로 했어요.
   수미씨도 같이 가요.

158

5) 저 가게는 물건 값이 비싸요.

   그래서 우리는 거기서 안 사기로 했어요.

6) 요즘은 컴퓨터 시대예요.

   그래서 나도 컴퓨터를 배우기로 했어요.

3.

−(으)ㄹ 거예요	be going to

1) A : 수미씨, 내일 뭐 할 거예요?　Sumi, what are you doing

   　　　　　　　　　　　　　　　　　tomorrow ?

   B : 도봉산에 갈 거예요.　I am going to Tobong Mountain.

2) A : 오늘 저녁에 뭐 할 거예요?

   B : 집에서 쉴 거예요.

3) A : 이번 일요일에 뭐 할 거예요?

   B : 친구를 만날 거예요.

4) A : 점심에 뭐 먹을 거예요?

   B : 칼국수 먹을 거예요.

5) A : 어느 걸 살 거예요?

   B : 저 가방을 살 거예요.

6) A : 뭘 입을 거예요?

   B : 이 티셔츠하고 청바지를 입을 거예요.

4.

−(으)면	if

−(으)면 is the conditional ending. The subject of the −(으)면 clause, if different from that of the main clause, usually takes the particle −이/가. If both subjects are the same, the particle of the subject of the −(으)면 clause is −은/는.

a) −면 comes after verb stems ending in a vowel or consonant ㄹ.

159

b) —으면 comes after verb stems ending in a consonant (except consonant ㄹ).

1) A : 머리가 아파요.   I have a headache.
   B : 많이 아프면 이 약을 드세요.   Take this medicine, if you have much pain.

2) A : 추워요.
   B : 추우면 난로 옆으로 오세요.

3) A : 내일 꼭 오세요.
   B : 시간이 있으면 갈게요.

4) A : 이따가 수미씨 만나기로 했어요.
   B : 만나면 이것 좀 전해 주세요.

5) A : 이 지갑은 마음에 들지만 너무 비싸요.
   B : 마음에 들면 사세요.

6) A : 돈을 많이 벌면 뭐 하고 싶어요?
   B : 외국여행을 하고 싶어요.

7) 내일 시험이에요.
   늦으면 안 돼요.

8) 교실에서 담배를 피우면 안 돼요.
   밖에 나가서 피우세요.

5. | —아 / 어 보다 // to try |

As an independent verb 보다 means "to looks", "to reads". But as an auxiliary verb it means "tries doing", "doing and then seeing what it is like", "exploring something by doing".

This pattern is usually used with the main verbs. It is also used to make a main verb sound more polite and deferrential.

가다   가 보다   가 보세요 (try going)

160

먹다   먹어 보다   먹어 보세요
말하다   말해 보다   말해 보세요

읽어 보세요.   Read, please.
이야기해 보세요.
써 보세요.
물어 보세요.
한국소설을 읽어 보았어요.
수미씨하고 얘기해 보았어요.
칠판에 내 이름을 써 보았어요.
선생님한테 물어 보았어요.
제가 읽어 볼게요.
제가 이야기해 볼게요.
제가 써 볼게요.
제가 물어 볼게요.

연 습

1. 본문을 읽고 대답하세요.

   1) 수미는 뭘 하고 있었어요?
   2) 영진이는 일요일에 뭐 할 거예요?
   3) 영진이는 일요일에 어디로 놀러 가요?
   4) 수미도 같이 가요?
   5) 수미가 가고 싶으면 어떻게 하면 돼요?

2. 그림을 보고 '-고 있다'와 '-아/어 있다'를 이용해 대답하세요.

   1) 수미는 지금 뭐 해요?
   2) 선생님은 의자에 앉아 있어요?

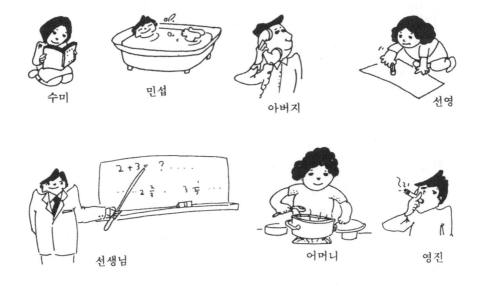

수미   민섭   아버지   선영

선생님   어머니   영진

3) 영진이는 무엇을 하고 있어요?

4) 아버지는 무엇을 하고 있어요?

5) 선영이는 지금 무엇을 하고 있어요?

6) 어머니는 지금 무엇을 하고 있어요?

7) 민섭이는 지금 서 있어요?

3. '보기'와 같이 하세요.

<보 기>

내일은 수미씨 생일이에요.

그래서 같이 저녁 먹기로 했어요.

1) 나는 매일 늦게 일어나요.

그래서 내일부터 _____.

2) 나는 어제 술을 많이 마셔서 머리가 아파요.

그래서 이제부터 술을 _____.

3) 저 가게는 물건 값이 비싸요.

그래서 저기에서 물건을 _____.

4) 요즘은 모두 컴퓨터를 써요.

그래서 나도 _____.

5) 우리는 매주 일요일 산에 가요.

그런데 내일은 시간이 없어요.

그래서 _____.

6) 내일 선영이하고 같이 백화점에 갈 거예요.

어디서 만나요?

_____.

4. 대답하세요.

1) 내일 뭐 할 거예요?
2) 오늘 저녁에 집에 있을 거예요?
3) 시장에서 뭐 살 거예요?
4) 내일 뭐 입을 거예요?
5) 점심 뭐 먹을 거예요?
6) 누구를 만날 거예요?
7) 뭐 마실 거예요?
8) 언제 은행에 갈 거예요?

5. '보기'와 같이 하세요.

<보 기>

갑자기 비가 와요.

A : 갑자기 비가 오면 어떻게 할 거예요?
B : 갑자기 비가 오면 비닐 우산을 살 거예요.

1) 택시를 탔는데 돈이 없어요.

A : _____ ?
B : _____.

2) 시험을 보는데 연필이 없어요.

   A : _____ ?

   B : _____ .

3) 친구를 한 시간 기다렸는데 안 와요.

   A : _____ ?

   B : _____ .

4) 구두가 마음에 들지만 너무 비싸요.

   A : _____ ?

   B : _____ .

5) 9시에 시험이 있는데 8시 50분에 일어났어요.

   A : _____ ?

   B : _____ .

6. '보기'와 같이 하세요.

<보 기>

1) 읽어 보세요.
2) 선생님 : 누가 읽을래요?
   학   생 : 제가 읽어 볼게요.

1) ① 선생님 : _____ .

② 선생님 : _____.

③ 선생님 : _____.

④ 선생님 : _____.

2) ① 선생님 : 누가 이야기할래요 ?
　　학　생 : _____.
② 선생님 : 누가 쓸래요 ?
　　학　생 : _____.
③ 선생님 : 누가 물어 볼래요 ?
　　학　생 : _____.
④ 선생님 : 누가 대답할래요 ?
　　학　생 : _____.

새단어

의자	chair	椅子
일어서다	to stand up	立ちあがる
언제나	always, whenever	いつでも
늦잠	sleeping late in the morning	朝ねぼう
그렇지만	but	でも
일어나다	to get up	起きる
값	price	値
컴퓨터	computer	コンピューター
시대	a time, a period	時代
칼국수	noodles (a variety of)	手打ち麺
난로	stove, heater, fireplace	暖炉、ストーブ
꼭	without fail, for sure	必らず
전하다	to convey, to report	伝える
지갑	wallet	財布
마음에 들다	be satisfied with, be to one's taste	気に入る
-지만	but (*connective suffix*)	ーだが
돈을 벌다	make money	お金をかせぐ
외국여행	travels abroad	外国旅行
안되다	must not do, be not allowed to do	うまくいかない、出来ない
나가다	to go out	出る
소설	novel	小説
칠판	blackboard	黒板
이름	name	名前
쓰다	to use	使う
갑자기	suddenly, all of a sudden	突然
비닐우산	plastic umbrella	ビニール傘
시험을 보다	to take an examination, to have a test	試験を受ける
연필	pencil	鉛筆

1. 요즘 대한극장에서 '로미오와 줄리엣'을 합니다.
   영진이는 수미하고 이 영화를 보고 싶어서 수미한테 전화를 걸었습니다.
   _____에 알맞은 말을 넣으세요.

영진 : 여보세요, 거기 수미씨 집이죠?
　　　　저는 _____

수미 : 전데요.

영진 : 수미씨, 이번 주 토요일에 _____?

수미 : 네, 있어요.

영진 : 그럼 같이 _____?

수미 : 무슨 영화인데요?

영진 : _____
　　　　_____

수미 : _____

영진 : _____

수미 : _____

영진 : _____
_____
수미 : _____
영진 : 그럼, 내일 만나요.
수미 : 안녕.

2. 누군가 말했어요.

　"당신이 원하면 뭐든지 다 해 줄게요".
　그러면 당신은 뭘 원할 거예요?
　두 가지만 얘기해 보세요.

3. 무슨 말을 하고 있을까요?

잠깐 쉬세요. ▭

제 16 과 │ 산꼭대기까지 올라갈 수 없었어요

철민 : 수미씨, 어제 왜 안왔어요?

　　　 영진이한테서 연락 못 받았어요?

수미 : 아니오, 연락 받았어요.

철민 : 그런데 왜 안왔어요?

　　　 등산가기 싫었어요?

수미 : 그게 아니라 어제가 내 동생 생일이었어요.

　　　 그래서 엄마랑 음식을 만들었어요.

　　　 그런데 어제 재미있었어요?

철민 : 재미는 있었지만 날씨가 안 좋았어요.

　　　 바람이 너무 불어서 산 꼭대기까지 올라갈 수

　　　 없었어요.

수미 : 사람은 많이 왔어요?

철민 : 다섯 명밖에 안 왔어요.

　　　 다음번엔 꼭 같이 가요.

수미 : 네, 그럴게요.

새단어

꼭대기	the top, the summit	頂上、てっぺん
-(으)ㄹ 수 없다	cannot, to not be able to (ability)	-できない
-한테서	from	-から
연락 받다	to receive a communication from (a person)	連絡を受ける
-기 싫다	dislike to do	-したくない
그게 아니라	It is not so	そうではなくて
-이었어요/였어요	It was (*the past form of* -이어요)	-이어요 の過去形
-(이)랑	with	-と、-や
음식	food	食事
만들다	to make	作る
-지만	but (*connective suffix*)	-だが
바람	wind	風
불다	to blow	吹く
-밖에	only (*particle*)	-しか
그럴게요	I will do so.	そうします

기본문형

1. | -한테서 // from |

-한테서, -에게서 " form" is used with nouns referring to persons. 서 can be omitted. In conversation -한테서 is frequently used.

1) A : 어제 영진이한테서 　　　　 A : Did you get a call from
　　전화 왔어요?　　　　　　　　　　Youngjin yesterday?

B : 네, 왔어요.　　　　　　　B : Yes, I got.

2) A : 그 이야기 누구한테서 들었어요?

　　B : 수미한테서 들었어요.

3) A : 이 꽃 누구한테서 받았어요?

　　B : 철민씨한테서 받았어요.

4) A : 누구한테서 편지 왔어요?

　　B : 동생한테서 왔어요.

5) A : 영진이한테서 연락 받았어요?

　　B : 아니오, 못 받았어요.

6) A : 이 사전 누구한테서 빌렸어요?

　　B : 모리씨한테서 빌렸어요.

---

2. | ─기(가) 싫다 // dislike to do |

In order to make a verb into a noun, the nominalizing suffix ─기 is attached to the verb stem. It corresponds to English "─ing" or "to infinitive to (do)".

─기(가) 싫다 expresses "dislike to do".

1) A : 수미씨, 일요일에　　　　A : Sumi, Let's go to a
　　　　산에 가요.　　　　　　　mountain this Sunday.
　　B : 나는 산에 가기 싫어요.　B : I don't want to go to a
　　　　영화 보러 가요.　　　　mountain. Let's go to a
　　　　　　　　　　　　　　　movie.

2) A : 배 고파요. 밥 먹으러 가요.
　　B : 나는 지금 밥 먹기 싫어요.

3) A : 영진씨, 지금 일하기 싫어요?
　　B : 네, 좀 피곤해요.

4) A : 철민씨, 술 마시러 가요.

　　B : 나는 술 마시기 싫어요.

　　　　두 분이 가세요.

---

3. | －이었어요 / 였어요 |

－이었어요/였어요 is the past form of Noun＋이에요/예요.

1) 어제 내 동생 생일이었어요.　　Yesterday was my younger

　　　　　　　　　　　　　　　brother's birthday.

　　그래서 엄마랑 음식을　　　　So, I cooked with my mother.
　　만들었어요.

2) 어제는 어린이날이었어요.

　　그래서 나는 동생한테 선물을 주었어요.

3) 아침에 버스가 만원이었어요.

　　그래서 무척 고생했어요.

4) 이 사진을 보세요.

　　40년전 고려대학교 사진이에요.

　　그때는 학교 근처가 전부 밭이었어요.

---

4. | －(이)랑　　　　　　　// with, and |

The conjunctive particle －이랑, －하고, －와/과 "and" is used between nouns or nominals, we use －이랑, －하고 more often than －와/과 in conversation. '－이랑' is mostly used by woman.

－(이)랑, －하고, and －와/과 (같이) are used when we do something with another person.

a) -랑 comes after nouns ending in a vowel.

b) -(이)랑 comes after nouns ending in a consonant.

1) A : 어제 뭐 했어요?　　　A : What did you do　yesterday?

　 B : 극장에 갔어요.　　　　B : I went to the movies.

　 A : 혼자 갔어요?　　　　　A : Alone?

　 B : 아니오, 친구랑 갔어요.　B : No, I went with my friend.

2) A : 학교에 혼자 와요?

　 B : 아니오, 수미씨랑 같이 와요.

3) A : 시장에서 뭘 샀어요?

　 B : 사과랑 배를 샀어요.

4) A : 누구랑 점심 먹을 거예요?

　 B : 이선생님이랑 먹을 거예요.

5) A : 일요일에 뭐 할 거예요?

　 B : 가족이랑 산에 갈 거예요.

6) A : 한국음식 좋아해요?

　 B : 네, 좋아해요.

　　　 특히 갈비탕이랑 김치를 좋아해요.

---

5. | -(으)ㄹ 수 있다 / 없다 ‖ can / cannot |

-(으)ㄹ. 수 있다 indicates possibility of an action.

-(으)ㄹ 수 없다 is the negative form of -(으)ㄹ 수 있다.

1) 바람이 많이 불었어요.　　The wind was too strong,

　 그래서 꼭대기까지 올라갈　so we couldn't climb to the top

　 수 없었어요.　　　　　　　of the mountain.

2) 나는 수영을 배웠어요.　　I learned to swim,

　 그래서 이젠 잘할 수 있어요.　so now I can swim well.

3) 도서관에 가면 여러가지 책을 빌릴 수 있어요.

그래서 나는 도서관에 자주 가요.

4) 나는 한국음식을 좋아해요.

그렇지만 김치는 매워서 먹을 수 없어요.

5) 나는 설악산에 올라갈 수 있어요.

그렇지만 에베레스트산에는 올라갈 수 없어요.

6) 나는 운전할 수 있어요.

그렇지만 우리 언니는 운전할 수 없어요.

6.

-지만	but

　-지만 "but" is the conjunctive ending. The conjunctive clause in -지만 and the concluding clause each specifies its own tense independently.

1) A : 사과하고 배 좋아해요?　Do you like apples and pears?
　　B : 사과는 좋아하지만 배는　I like apples, but I don't
　　　　안 좋아해요.　　　　　 like pears.

2) A : 어제 영화 보러 갔었어요?
　　B : 가고 싶었지만 피곤해서 안 갔어요.

3) A : 카메라 샀어요?
　　B : 네, 좀 비쌌지만 샀어요.

4) A : 친구들한테서 편지 많이 와요?
　　B : 수미한테서는 많이 오지만 경주한테서는 안 와요.

5) A : 사람이 조금밖에 없어서 재미없었지요?
　　B : 아니오, 사람은 조금밖에 없었지만 재미있었어요.

6) A : 시계 찾았어요?
　　B : 방안을 다 찾았지만 아직 못 찾았어요.

7.	―밖에	only

―밖에 which comes after a noun indicates "only" and this particle is always followed by negative words like 아니다, 없다, 안하다, 못하다, 모르다.

1) 우리 교실에 남자가 많이
있어요.
그렇지만 여자는 한 사람밖에
없어요.

       There are many men in our
class, but there is only one
woman.

2) 밤 12시예요.
길에 사람이 조금밖에 없어요.

3) 10명이 산에 가기로 했어요.
그런데 다섯 명밖에 안 왔어요.

4) 머리가 아파서 공부하기 싫었어요.
그래서 20분밖에 안 했어요.

5) 어제 너무 바빴어요.
그래서 숙제를 조금밖에 못 했어요.

6) 어제 3시간밖에 못 잤어요.
그래서 지금 너무 졸려요.

연 습

1. 본문을 읽고 대답하세요.

1) 철민이는 어제 어디 갔어요?
2) 영진이가 수미한테 연락했어요?
3) 언제 연락했어요?

4) 수미는 어제 왜 산에 안 갔어요?

5) 철민이는 친구들하고 재미있게 놀았어요?

6) 산꼭대기까지 올라갔어요?

7) 왜 못 올라갔어요?

8) 산에 몇 명 왔어요?

2. '보기'와 같이 하세요.

```
───────────────⟨보  기⟩───────────────
         A : 어제 영진이한테서 전화 왔어요?
         B : 아니오, 내가 영진이한테 걸었어요.
```

1) A : 이 꽃 누구_____ 받았어요?

   B : 영진이_____ 받았어요.

2) A : 그 이야기 누구_____ 들었어요?

   B : 수미_____ 들었어요.

3) A : 어디_____ 왔어요?

   B : 미국 _____ 왔어요.

4) A : 요즘도 친구_____ 편지 자주 와요?

   B : 네, 자주 와요.

5) A : 학교가 집_____ 멀어요?

   B : 아니오, 가까워요.

6) A : 이 사전 누구_____ 빌렸어요?

   B : 앨버트씨_____ 빌렸어요.

3. '보기'와 같이 하세요.

〈보 기〉

A : 수미씨, 일요일에 산에 가요.

B : 나는 산에 <u>가기 싫어요.</u>

영화 보러 가요.

---

1) A : 내일 모임에 같이 가요.

   B : 나는 그 모임에 _____.

   안 갈래요.

2) A : 나는 가족하고 친구들한테 편지를 자주 써요.

   B : 그래요? 나는 편지 _____.

   그 대신 전화를 자주 해요.

3) A : 여보, 이 넥타이 매고 가세요.

   B : 난 그 넥타이 _____.

4) A : 수미씨, 어제 공부 많이 했어요?

   B : 아니오, 날씨가 너무 좋아서 _____.

4. 오늘은 5월 4일이에요.

   달력을 보고 질문에 대답하세요.

5
MAY

일 SUN	월 MON	화 TUE	수 WED	목 THU	금 FRI	토 SAT
				1	2	3	4
5	6	7	8	9	10	11
12	13	14	15	16	17	18
19	20	21	22	23	24	25
26	27	28	29	30	31	

1) 지금은 몇 월입니까?

2) 오늘은 며칠입니까?

3) 어제는 무슨 요일입니까?

4) 내일은 어떤 날입니까?

5) 모레는 몇 월 며칠입니까?

6) 그저께는 무슨 요일입니까?

7) 토요일은 언제 언제입니까?

8) 어버이날은 며칠입니까?

9) 공휴일은 모두 몇 번 있습니까?

10) 5월은 모두 며칠입니까?

11) 세번째 토요일은 며칠입니까?

5. '보기'와 같이 하세요.

⟨보 기⟩

A : 누구를 만났어요?
B : <u>수미랑 영진이를 만났어요.</u>

1)

A : 무슨 동물을 좋아해요?
B : _____ .

2)

A : 뭐 사러 가요?
B : _____ .

3)

A : 어디 갔다왔어요?

B : _____ .

4)

언니

A : 누구랑 극장에 갈 거예요?

B : _____ .

5)

A : 일요일에 뭐 했어요?

B : _____ .

6)

선영이

A : 수미씨는 누구랑 제일 친해요?

B : _____ .

6. '보기'와 같이 하세요.

<보 기>

나는 영어를 잘할 수 있어요.
그렇지만 한국말은 잘할 수 없어요.

1)

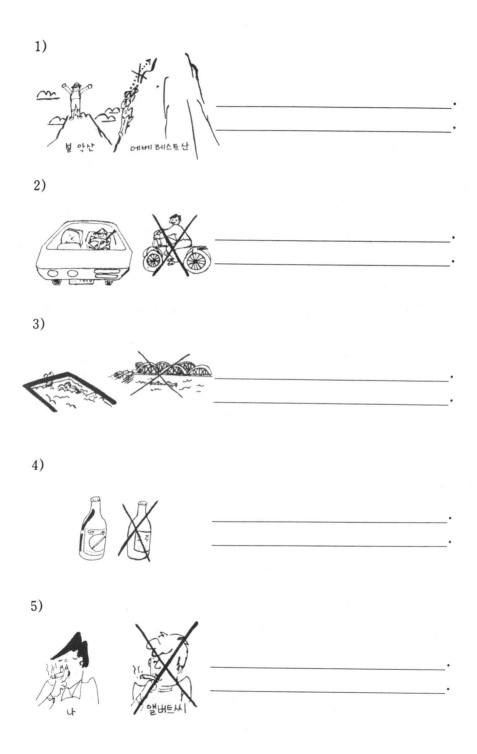

설악산　에베레스트산

　　　　　　　　　　　　　　.
　　　　　　　　　　　　　　.

2)

　　　　　　　　　　　　　　.
　　　　　　　　　　　　　　.

3)

　　　　　　　　　　　　　　.
　　　　　　　　　　　　　　.

4)

　　　　　　　　　　　　　　.
　　　　　　　　　　　　　　.

5)

나　　앨버트씨

　　　　　　　　　　　　　　.
　　　　　　　　　　　　　　.

6)

수미   선영

_____.

_____.

7. '보기'와 같이 하세요.

<보 기>

A : 집에 책이 많이 있어요?

B : 아니오, 조금밖에 없어요.

1) A : 어제 사람 많이 왔어요?

  B : 아니오, 조금_____.

2) A : 연습 많이 했어요?

  B : 아니오, 하기 싫어서 한 번_____.

3) A : 숙제 다 했어요?

  B : 아니오, 시간이 없어서 조금_____.

4) A : 어제 코트 샀어요?

  B : 못 샀어요.

   코트가 이십만 원이었는데, 돈이 십오만 원_____.

5) A : 생일날 선물 많이 받았어요?

  B : 아니오, _____.

6) A : 친구랑 얘기 많이 했어요?

  B : 아니오, 시간이 _____ 금방 헤어졌어요.

8. '보기'와 같이 하세요.

> ───────〈보 기〉───────
>
> A : 사과하고 배 좋아해요?
> B : 사과는 <u>좋아하지만</u> 배는 안 좋아해요.

1) A : 어제 수미랑 영수 만났어요?
   B : 수미는 _____ 영수는 못 만났어요.

2) A : 일요일에 산에 갔어요?
   B : 가고 _____ 피곤해서 안 갔어요.

3) A : 내일 시간 있으면 우리집에 놀러 오세요.
   B : _____ 꼭 갈게요.

4) A : 맛은 _____ 많이 드세요.
   B : 아니에요, 아주 맛있어요.

5) A : 어제 모임에 갔어요?
   B : 네, 가기 _____ 갔다왔어요.

6) A : 수미씨, 술 못 마셔요?
   B : 마실 수 _____ 오늘은 안 마실래요.
       배가 좀 아파서요.

새단어

전화가 오다	to get a phone call	電話が来る
어린이날	Children's Day	子供の日
만원	full, no vacancy, extremely crowded (transportation)	満員
고생하다	to take a pain	苦労する
사진	photograph, picture	写真
전	before	前
전부	all parts, all	全部

186

밭	field, farm	畑
가족	family	家族
특히	specially, especially	特に
갈비탕	short rib soup (served with rice)	カルビ湯
-(으)ㄹ 수 없다	can't	―できない
에베레스트산	Mt. Everest	エベレスト山
운전하다	to drive	運転する
할머니	grandmother	お祖母さん
여러가지	various kinds of	いろいろ
찾다	to find	さがす、みつける
다	all	すべて
밤	night	夜
졸리다	to get sleepy	眠たい

놀다	to play	遊ぶ
자주	often, frequently	しょっちゅう
모임	meeting, gathering	集会、あつまり
대신	instead of	～の代り
여보	Honey!, Darling!	きみ、あなた (夫婦間で)
(넥타이를)매다	to tie a necktie	(ネクタイを)むすぶ
무슨	what	何の
동물	animal	動物
과자	cookie, confectionery	菓子
제일	the first	第一
친하다	(be) intimate, (be) close	親しい
자전거	bicycle, bike	自転車
풀	pool	プール
배	stomach, abdomen	胃、お腹
연습	exercise	練習
코트	coat	コート
금방	just now, right now	たった今、すぐに
헤어지다	to separate, to break up, to part	離れる

제 17 과 차를 마시면서 이야기를 해요

앨버트 : 이선생님, 오래간만이에요.

　　　　그동안 어떻게 지내셨어요?

선생님 : 좀 바빴어요.

　　　　앨버트씨는 잘 지냈어요?

앨버트 : 네, 잘 지냈어요.

　　　　선생님 바쁘세요?

선생님 : 아니오, 괜찮아요. 왜요?

앨버트 : 선생님하고 이야기하고 싶어서요.

선생님 : 그럼 같이 다방에 가서 이야기를 할까요?

앨버트 : 네, 좋아요.

　　　　차를 마시면서 이야기를 해요.

선생님 : 저 다방으로 갈까요?

　　　　전에 간 적이 있는데 커피맛이

　　　　좋았어요.

새단어

차	tea	茶
-(으)면서	while (*connective suffix*)	-ながら
오래간만	after a long interval, a long time since	久しぶり
지내다	to spend time, to get along	過ごす
-(으)셨어요?	Did you-? (*conversational interrogative past ending*)	-ましたか
그동안 어떻게 지내셨어요?	How were you days for that time?	その間いかがお過ごしでしたか
-(으)세요?	Do you-? (*conversational interrogative ending*)	-ですか
-아/어서	(*connective suffix for sequence*)	-の為に
-아/어서요	it's because	-て、それから
-(으)ㄴ 적이 있다	to have ever happened (*the ending for experience*)	-た事がある

기본문형

---

1. | −(으)세요？ / −(으)세요 |

−(으)세요 comes after a verb or adjective stem and is used as an informal polite present form. When the subject of the sentence is older than the speaker, we insert −시− after the verb stem. −(으)세요 is the combination of honorific ending −시− and the final ending −어요. −시어요 had been used for a some time, but it has fallen out of usage.

1) A : 김선생님, 뭐 하세요？ What are you doing, Mr. Kim？

  B : 편지 써요. I am writing a letter.

2) A : 아버지, 오늘 바쁘세요？

  B : 아니, 왜？

3) A : 뭐 찾으세요？

  B : 안경 찾아요.

4) A : 선영씨, 어머니 지금 뭐 하세요？

  B : 청소하세요.

5) A : 할아버지 지금 뭐 하세요？

  B : 방에서 책 읽으세요.

6) A : 김선생님 지금 뭐 하세요？

  B : 학생들 가르치세요.

---

2. | −(으)셨어요？ / −(으)셨어요 |

−(으)셨어요 comes after a verb or an adjective stem and is used as an informal polite past form. When the subject of the sentence is older than the speaker, we insert −시− after the verb stem, and after

190

this we can also insert a tense morpheme. That is to say, -(으)셨어요 is a combination of the honorific ending -시-, past morpheme -었- and final ending -어요.

1) A : 김선생님 어디 가셨어요?   Where did Mr. Kim go?
   B : 친구 만나러 나가셨어요.   He went out to meet his friend.
2) A : 손님 오셨어요?
   B : 아직 안 오셨어요.
3) A : 이 과자 누가 사오셨어요?
   B : 이선생님이 사오셨어요.
4) A : 지난 일요일에 뭐 하셨어요?
   B : 산에 갔다왔어요.
5) A : 생일날 무슨 선물 받으셨어요?
   B : 넥타이하고 지갑 받았어요.
6) A : 아까 누구 만나셨어요?
   B : 친구 만났어요.

3. | −아 / 어서요   // it's because |

The causal conjunctive ending −아/어서 can be also used as a concluding ending. We can use −아/어서요 instead of −아/어서 ∼ −아/어요, when a main clause is omitted.

1) A : 지금 바쁘세요?   Are you busy, now?
   B : 왜요?   Why?
   A : 얘기 좀 하고 싶어서요.   It's because I would like to talk with you.

2) A : 어제 왜 일찍 집에 갔어요?
   B : 피곤해서요.

3) A : 왜 이 책을 자꾸 읽어요?

　　B : 재미있어서요.

4) A : 왜 봄을 좋아해요?

　　B : 날씨가 좋아서요.

5) A : 어제 왜 전화했어요?

　　B : 만나고 싶어서요.

6) A : 왜 병원에 갔다왔어요?

　　B : 눈이 아파서요.

4. | ─아 / 어서 　　　　　　　　　　// and there |

In the case of the conjunctive clause in ─아/어서, there is a relationship between the facts in the concluding clause and those of the clause in ─아/어서, in addition to the temporal ordering. The subjects of the two clauses are always identical.

1) A : 자동판매기 커피
　　　　마실까요?

　　B : 싫어요. 다방에 가서
　　　　마셔요.

Shall we have a cup of coffee from the vending machine?

No, Let's have it in a coffee shop.

2) A : 어제 뭐 했어요?

　　B : 교보문고에 가서 책 좀 샀어요.

3) A : 어디 가서 점심 먹을까요?

　　B : 한식집에 가서 비빔밥 먹어요.

4) A : 오늘 오후에 뭐 할 거예요?

　　B : 미장원에 가서 파마할 거예요.

5) A : 일요일에 집에 있을 거예요?

　　B : 아니오, 학교에 가서 공부할 거예요.

6) A : 피곤해요.

　　B : 그럼 집에 가서 쉬세요.

192

5. | ─(으)면서 | while |

─(으)면서 expresses the notion of simultaneity "while～", "at the same time as～". This ending indicates that two or more actions performed by a single person are taking place at the same time.

1) A : 수미씨하고 앨버트씨   A : What are Sumi and Albert
뭐 해요?   doing?
   B : 차 마시면서 얘기해요.   B : They are talking over a cup
                            of tea.

2) A : 수미씨, 음악 들으면서 공부해요?
   B : 네, 음악 들으면서 공부해요.

3) A : 다방에 가서 얘기할까요?
   B : 아니오, 걸어가면서 얘기해요.

4) A : 영진씨는 언제 신문 봐요?
   B : 아침밥 먹으면서 봐요.

6. | ─(으)ㄴ 적이 있다 / 없다 | to have ever / never happened |

─(으)ㄴ 적이 있다/없다 indicates one's experienes. It means to have ever happened/have never happened. In this case it is similar to the present perfect in English.

1) A : 어린이 대공원 알아요?   Do you know Children's Park?
   B : 네, 한 번 간 적이   Yes, I have been there just one
      있어요.   time.

2) A : 저 사람 알아요?
   B : 이야기한 적은 없지만 얼굴은 몇번 봤어요.

3) A : 앨버트씨, 남산타워에 가 본 적이 있어요?

　　B : 아직 못 가봤어요.

4) A : 영진씨, 이 음악 들어 봤어요?

　　B : 아니오, 들어 본 적이 없어요.

5) A : 어디 살아요?

　　B : 한남동에 살아요.

　　A : 아, 그래요?

　　　　나도 전에 거기 산 적이 있어요.

연 습

1. 본문을 읽고 대답하세요.

　　1) 선생님은 요즘 바빴어요?

　　2) 앨버트씨는 요즘 어떻게 지냈어요?

　　3) 선생님은 오늘도 바빠요?

　　4) 앨버트씨는 선생님하고 뭐 하고 싶어해요?

　　5) 어디에 가서 뭐 하기로 했어요?

　　6) 왜 그 다방에 가요?

2. '보기'와 같이 하세요.

〈보　기〉

　영　　수 : 아주머니, <u>뭐 하세요?</u>

　아주머니 : <u>청소해요.</u>

1)

철　민 : 아저씨, _____ ?

아저씨 : _____ .

2)

학생 : 선생님, _____ ?

선생 : _____ .

3)

철　민 : 아저씨, 어제 저녁에

_____ ?

아저씨 : _____ .

4)

수미엄마 : 선영씨, 어머니 지금

_____ ?

선　　영 : _____ .

5)

수미 : 할아버지 _____ ?

철민 : _____ .

6)

철　민 : 아까 누구 _____ ?
아줌마 : _____ .

3. ___에 알맞은 말을 넣으세요.

1) A : 지금 바쁘세요?
   B : 왜요?
   A : _____ .

2) A : 어제는 세시간밖에 못 잤어요.
   B : 왜요?
   A : _____ .

3) A : 오늘은 학교에 좀 일찍 갈 거예요.
   B : 왜요?
   A : _____ .

4) A : 어제 왜 늦게 들어왔어요?
   B : _____ .

5) A : _____ ?
   B : 시간이 없어서요.

6) A : _____ ?
   B : 좀 피곤해서요.

7) A : _____ ?
   B : 비가 와서요.

8) A : _____ ?
   B : 배가 고파서요.

196

4. '보기'와 같이 대답하세요.

<보 기>

A : 자동판매기 커피 마실까요?
B : 싫어요, <u>다방에 가서 마셔요.</u>

1) A : 일요일에 집에 있었어요?
   B : 아니오, _____ .

2) A : 어제 뭐 했어요?
   B : _____ .

3) A : 수미씨, 만나고 싶어요.
   B : 나는 지금 못 나가요.
      _____ .

4) A : 어제 철민씨하고 뭐 했어요?
   B : _____ .

5) A : 점심에 뭐 먹었어요 ?

B : _____ .

6) A : 어디 앉을까요 ?

B : _____ .

5. '보기'와 같이 하세요.

─────────〈보 기〉─────────

A : 수미씨하고 앨버트씨 뭐 해요 ?

B : 차 마시면서 얘기해요.

1) A : 수미씨 지금 뭐 해요 ?

B : _____ .

2) A : 다방에 가서 얘기했어요?
   B : _____ .

3) A : 늦어서 미안해요. 오래 기다렸죠?
   B : 괜찮아요.
      _____ .

4) A : 철민씨, _____
      보기 싫어요.
   B : 미안해요.

6. '보기'와 같이 하세요.

┌─────────────────〈보 기〉─────────────────┐
│   │
│   A : 중국에 가 봤어요?   │
│   B : 네, 한번 가 본 적이 있어요.   │
│   │
└──┘

1) A : 저 사람을 전에 만났어요?
   B : 아니오, _____ .
2) A : 영진씨 알아요?
   B : 친하지는 않지만 전에 _____ .

199

3) A : 요즘 테니스 배우러 다녀요.

B : 그래요? 나도 전에 _____.

4) A : 뭐 먹을까요?

B : 이 집 갈비탕 맛있어요?

A : 이 집에서 갈비탕을 _____.

아마 맛있을 거예요.

5) A : 이 책 참 재미있어요.

B : 나도 전에 _____ 참 재미있었어요.

6) A : 외국에 _____?

B : 아니오, 아직 못 가 봤어요.

새단어

안경	eyeglasses	めがね
할아버지	grandfather	お祖父さん
사오다	to buy (something and bring)	買って来る
아까	a moment ago, a little while ago	さっき，少し前
자꾸	constantly, incessantly, continuously	ずっと
봄	spring	春
눈	eye	目
자동판매기	vending machine	自動販売機
교보문고	Kyobo Book Center	教保文庫
한식집	Korean style restaurant	韓国式食堂
미장원	beauty shop	美容院
파마	permament	パーマ
어린이 대공원	Children's Park	子供の大公園
중국	China	中国
일본	Japan	日本
몇번	several times	何度，何回

남산타워	Namsan Tower	南山タワー
한남동	Hanam-dong(place name)	漢南洞
-고 싶어하다	to want to	ーたがる
싫다	to dislike, to hate	嫌だ，きらいだ
껌	chewing gum	ガム
씹다	to chew	(ガムを)かむ

제 18 과 ｜ 매운 건 잘 못 먹어요

영　진 : 날씨가 추워졌지요?

앨버트 : 네, 그래서 뜨거운 걸 먹고 싶어요.

영　진 : 추울 때 뜨거운 걸 먹으면 좀 덜 추워요.

　　　　뭘 시킬까요?

앨버트 : 글쎄요.

영　진 : 김치찌개가 어때요?

앨버트 : 난 매운 건 잘 못 먹기 때문에 안 돼요.

영　진 : 그럼 설렁탕을 먹을까요?

앨버트 : 네, 그러죠.

〈잠시 후〉

영　진 : 자, 식기 전에 드세요.

앨버트 : 설렁탕이 좀 싱겁지 않아요?

영　진 : 싱거우면 소금을 더 넣으세요.

새단어

-(으)ㄴ	*noun modifier suffix*	名詞修飾接尾辞
-아/어지다	to get to be, to become (*verbal suffix*)	－になる
-(으)ㄹ 때	the time when something takes place or exists (*verbal suffix*)	－る時
덜	less	足りない(ある状態に満たない)
시키다	to make(a person to do), to order	させる
김치찌개	Kimchi stew	キムチチゲ
어때요?	How about-?	どうですか、いかがですか
-기 때문에	because (*causative suffix*)	－なので
그러죠	I will.	そうします
자	come on!, Here!	さあ
식다	to get cold, to cool off	さめる、冷える
-기 전에	before doing or happen something	－る前に
-지 않아요	～, hasn't it? (*tag questions*)	－くないですか？
싱겁다	(be) bland	(味が)うすい
소금	salt	塩
넣다	to put into	入れる

기본문형

1. | −아 / 어지다 | to get to be |

−아/어지다 comes after an adjective stem and indicates the variation from one situation to an other situation.

1) 12월이에요.   It's December.
   날씨가 많이 추워졌어요.   It's getting colder.

2) 봄이에요.
   날씨가 많이 따뜻해졌어요.

3) 처음에 한국말이 아주 어려웠어요.
   지금은 좀 쉬워졌어요.

4) 아까 기분이 아주 나빴어요.
   지금은 좀 좋아졌어요.

5) 지난 일요일에 집을 청소했어요.
   그래서 집이 아주 깨끗해졌어요.

6) 내 책 못 봤어요?
   아까까지 여기 있었는데 없어졌어요.

2. | 형용사 관형형 현재 −(으)ㄴ |

When an adjective is located in front of a noun, an adnominal ending is attached to the stem. The present tense adnominal form of the adjective is made by adding the element −(으)ㄴ to the stem of the adjective.

1) 나는 인형을 좋아해요.　　　　I like dolls.
　　특히 큰 곰인형을 좋아해요.　Specially, I like a big beardoll.

2) 나는 꽃을 좋아해요.
　　아주 작은 꽃을 좋아해요.

3) 나는 한국음식을 좋아해요.
　　그렇지만 매운 건 못 먹어요.

4) 세상에는 나쁜 사람이 많이 있어요.
　　그렇지만 좋은 사람이 더 많아요.

5) 난 예쁘고 착한 여자가 좋아요.
　　좀 소개해 주세요.

6) 날씨가 추워요.
　　따뜻한 커피를 마시고 싶어요.

---

3. | -(으)ㄹ 때 | when, while |

The pattern -ㄹ(을) 때 can be used with any verb. It corresponds to the English "when" or "while". The past infix (-았-) is not usually used in this pattern when the actions of the two clauses are cocurrent.

But the past infix can be used in this pattern when the action or the state of the main clause had already begun when the action of the dependent clause happened.

1) A : 바쁠 때에도 버스를 타요?　Do you take a bus when you
　　B : 아니오, 택시를 타요.　　　are busy? No, I take a taxi.

2) A : 아플 때 어떻게 해요?
　　B : 병원에 가요.

3) A : 공부할 때 음악을 들어요?

    B : 네, 음악을 들으면서 공부해요.

4) A : 빵을 먹을 때 우유랑 같이 먹어요?

    B : 네, 그렇지만 커피랑 같이 먹을 때도 있어요.

5) A : 어제 날씨 추웠어요?

    B : 네, 아침에 산책 나갔을 때 꽤 추웠어요.

6) A : 영진이가 제일 먼저 왔어요?

    B : 네, 내가 왔을 때 아무도 없었어요.

7) A : 저 할아버지는 정말 건강하세요.

    B : 젊었을 때부터 계속 운동을 하셨어요.

8) A : 전기불이 없었을 때에는 어떻게 살았을까요?

    B : 정말 불편했을 거예요.

---

4. | **-기 때문에**   //   because

-기 때문에 is the causal conjunctive ending. It may be used with any verb or adjective, and the tense infix -았-, -겠- can be used if necessary.

1) A : 같이 영화 보러 가요.   Let's go to the movie together.

    B : 미안해요.   Sorry, I am busy,

        난 바쁘기 때문에   so I can't go with you.

        안 돼요.

2) A : 다음엔 수미씨 차례예요.

    B : 전 지금 목이 아프기 때문에 노래 못 해요.

        다음에 할게요.

3) A : 영진씨, 카메라 좀 빌려 주세요.

    B : 수미씨한테 빌려 줬기 때문에 지금 없어요.

4) A : 어제 파티 재미있었어요?

    B : 영진씨가 안 왔기 때문에 재미없었어요.

5) A : 영진씨 배 고프지 않아요?

    B : 점심을 많이 먹었기 때문에 아직 괜찮아요.

6) A : 졸려요?

    B : 네, 어제 두 시간밖에 못 잤기 때문에 졸려요.

---

5. | ─기 전에 // before |

1) A : 한국에 오기 전에   A : Where had you been
    어디 있었어요?   before coming to Korea?

    B : 일본에 있었어요.   B : I had been in Japan.

2) A : 자기 바로 전에 뭘 해요?

    B : 이를 닦아요.

3) A : 언제 신문을 봐요?

    B : 저녁을 먹기 전에 봐요.

4) A : 커피 마실래요?

    B : 아뇨, 수미씨 만나기 바로 전에 마셨어요.

5) A : 언제 김장을 해요?

    B : 날씨가 추워지기 전에 해요.

6) A : 학교에 와서 공부하기 전에 뭘 해요?

    B : 커피를 한 잔 마셔요.

---

6. | ─지 않아요?   ~, hasn't it? |

The meaning of ─지 않아요 is the same as the meaning of ─지 요?. But we use ─지요 in the case that the speaker has strong belief, but ─지 않아요 is used for asking the other person's opinion about something.

1) 설렁탕이 싱겁지 않아요?　This Seolleongthang has not been
   네, 좀 싱거워요.　　　　　　salted, hasn't it?
   　　　　　　　　　　　　　No, it hasn't.

2) 한국 생활이 힘들지 않아요?
   아니오, 괜찮아요.

3) 머리 아프지 않아요?
   네, 좀 아파요.

4) 시험 어렵지 않아요?
   아니오, 어렵지 않아요.

5) 부모님이 보고 싶지 않았어요?
   네, 정말 보고 싶었어요.

6) 선생님도 오시지 않았어요?
   아니오, 오시지 않았어요.

7) 어제 영진씨랑 만나지 않았어요?
   네, 만나서 같이 극장에 갔어요.

8) 아침에 혹시 수미씨가 전화하지 않았어요?
   아니오, 안 했어요.

7. | 달아요, 써요, 매워요, 짜요, 싱거워요, 셔요 |

1) 케익이 달아요.　　　　　　This cake is too sweet.
   설탕을 너무 많이 넣었어요.　They put in too much sugar.

2) 커피가 써요. 커피에 설탕을 안 넣었어요.
3) 김치가 매워요. 고추가루를 너무 많이 넣었어요.
4) 국이 짜요. 소금을 너무 많이 넣었어요.
5) 국이 싱거워요. 소금을 조금 밖에 안 넣었어요.
6) 냉면이 셔요. 식초를 너무 많이 넣었어요.

연 습

1. 본문을 읽고 대답하세요.

   1) 지금은 봄, 여름, 가을, 겨울 중 어느 계절이에요?
   2) 날씨가 어때요?
   3) 왜 앨버트는 뜨거운 걸 먹고 싶어해요?
   4) 영진이는 앨버트에게 어떤 음식을 권했어요?
   5) 왜 앨버트는 그 음식을 안 좋아해요?
   6) 그래서 뭘 시켰어요?
   7) 왜 그 음식에 소금을 넣어요?

2. '보기'와 같이 하세요.

   <보 기>

   A : 오늘도 추워요?
   B : 아니오, <u>많이 따뜻해졌어요.</u>

   1) A : 아직도 기분이 나빠요?
      B : 아니오, _____.
   2) A : 뭐 찾아요?
      B : 안경이요, 아까까지 여기 있었는데 _____.
   3) A : 지금도 테니스가 재미없어요?
      B : 아니오, _____.
   4) A : 청소했어요? 방이 _____.
      B : 네, 오전에 청소했어요.
   5) A : 지금도 한국말이 어려워요?
      B : 아니오, _____.

6) A : 지금도 돈이 없어요?

   B : 아니오, 어제 부모님이 보내 주셔서 _____ .

3. '보기'와 같이 하세요.

┌─────────────────〈보　기〉─────────────────┐
│   │
│   A : 무슨 인형을 좋아해요?   │
│   B : 큰 곰인형을 좋아해요.   │
│   │
└──┘

1) A : 어떤 여자가 좋아요?

   B : _____ 여자가 좋아요.

2) A : 뭘 드실래요?

   B : _____ 커피를 마시고 싶어요.

3) A : 한국음식 좋아해요?

   B : 네, 좋아해요.

      그렇지만 _____ 건 못 먹어요.

4) A : 어떤 날씨를 좋아해요?

   B : _____ 날씨를 좋아해요.

5) A : 어떤 곳에 가고 싶어요?

   B : _____ 곳에 가고 싶어요.

6) A : 어떤 사람을 싫어해요?

   B : _____ 사람을 싫어해요.

4. '보기'와 같이 하세요.

┌─────────────────〈보　기〉─────────────────┐
│   │
│   오늘 바빠요.   │
│   A : 바쁠 때에도 버스를 타요?   │
│   B : 아니오, 택시를 타요.   │
│   │
└──┘

1)　　머리가 아파요.

　　A : ＿＿＿＿＿＿＿＿＿＿＿＿＿＿＿ ?

　　B : 병원에 가요.

2)　　공부를 해요.

　　A : ＿＿＿＿＿＿＿＿＿＿＿＿＿＿＿ ?

　　B : 네, 음악을 들으면서 공부해요.

3)　　빵을 먹어요.

　　A : ＿＿＿＿＿＿＿＿＿＿＿＿＿＿＿ ?

　　B : 네, 언제나 우유랑 같이 먹어요.

4)　　산책을 나갔어요.

　　A : ＿＿＿＿＿＿＿＿＿＿＿＿＿＿＿ ?

　　B : 네, 추웠어요.

5)　　학교에 왔어요.

　　A : 오늘 학교에 제일 먼저 왔어요?

　　B : 네, ＿＿＿＿＿＿＿＿ 아무도 없었어요.

6)　　전기불이 없었어요.

　　A : ＿＿＿＿＿＿＿＿ 어떻게 살았을까요?

　　B : 정말 불편했을 거예요.

5. '보기'와 같이 하세요.

┌──────────────〈보　기〉──────────────┐
│   │
│　　A : 오늘 저녁에 같이 술 마셔요.   │
│　　B : 미안해요. 오늘은 안돼요.   │
│　　A : 왜요?   │
│　　B : 바쁘기 때문에 오늘은 안돼요.   │
│   │
└──────────────────────────────────────┘

1) A : 졸려요?

　　B : 네.

A : 왜요?

B : _____.

2) A : 바빠요?

　 B : 네.

　 A : 왜요?

　 B : _____.

3) A : 어제 본 영화 재미있었어요?

　 B : 아니오.

　 A : 왜요?

　 B : _____.

4) A : 사전 좀 빌려주세요.

　 B : 미안해요. 지금 없어요.

　 A : 안 가지고 왔어요?

　 B : 아니오. _____.

5) A : 저 사람이랑 친해요?

　 B : 아니오.

　 A : 왜요?

　 B : _____.

6. 그림을 보고 '보기'와 같이 하세요.

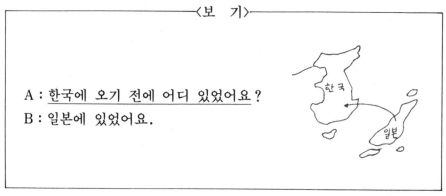

──〈보　기〉──

A : 한국에 오기 전에 어디 있었어요?

B : 일본에 있었어요.

1)

A : _____ ?
B : 이를 닦아요.

2)

A : _____ ?
B : 커피를 마셔요.

3)

A : 언제 신문을 봐요?
B : _____ .

4)

A : 언제 김장을 해요?
B : _____ .

5)

A : _____ ?
B : 학생이었어요.

7. '보기'와 같이 하세요.

<보 기>

A : 한국 생활이 힘들지 않아요?
B : 아니오. 괜찮아요.

1)

A : _____ ?
B : 네, 고파요.

2)

A : _____ ?
B : 네, 준호씨랑 같이 봤어요.

3)

A : _____ ?
B : 네, 정말 보고 싶어요.

4)

A : _____ ?
B : 아니오. 안 했어요.

5)

A : _____ ?
B : 네, 많이 마셨어요.

8. 맛이 어때요?

1)

 _____ .

2)

 _____ .

3)

  _____ .

4)

  _____ .

5)

 _____ .

6)

 _____ .

새단어

처음에	in the beginning	初めて
아주	very	とても
인형	doll	人形
곰	bear	熊
작다	(be)small, (be)tiny	小さい
착하다	(be)nice, (be)good-natured	善良だ、いい子だ

216

소개하다	to introduce	紹介する
산책	to take a walk, to stroll	散歩
젊다	(be)young	若い
계속	continuously, continually	継続, つづけて
전기불	electric light	電灯
불편하다	be uncomfortable	不便だ
차례	one's turn	順番
파티	party	パーティ
일본	Japan	日本
바로	just	ちょうど, すぐ
이	teeth	歯
닦다	to brush	みがく
김장	making Kimchi for the winter	キムジャン
부모님	parents	両親
혹시	by any chance	もしかしたら
쓰다	(be) bitter	苦い
짜다	(be)salty	しょっぱい
시다	(be)sour, (be)acidic	すっぱい
케익	cake	ケーキ
설탕	sugar	砂糖
고추가루	powdered red pepper	唐辛し粉
국	soup broth	汁
냉면	Naengmyon, cold buckwheat noodles	冷麵
식초	vinegar	酢
차다	(be) cold	冷たい
오전	the morning	午前

제 19 과 | 감기에 걸린 것 같아요

선생님 : 앨버트씨, 아파요?

앨버트 : 네, 감기에 걸린 것 같아요.

　　　　어제부터 열이 나고 목이 아프기 시작했어요.

선생님 : 병원에 가 봤어요?

앨버트 : 아니오. 어제는 별로 심하지 않았어요.

　　　　그런데 오늘 아침부터 심해져서

　　　　병원에 가야겠어요.

선생님 : 그럼 빨리 병원에 가 보세요.

그리고 집에 가서 공부하지 말고

푹 쉬세요.

〈며칠 후〉

선생님 : 앨버트씨, 감기 다 나았어요?

앨버트 : 네, 많이 좋아졌어요.

그래서 내일부터는 다시 학교에

가려고 해요.

새단어

-(으)ㄴ 것 같다	It seems like	-ようだ
-기 시작하다	to begin to	-初める
별로 -지 않다	not so much(to be) (*negative ending*)	それほど-ではない
심하다	(be) severe	ひどい
-아/어야겠다	to will have to do	-なければならない
-지 말고 -(으)세요	do not one thing, and please do the other thing (*the expression for prohibition and proposal*)	-ないで~て下さい
푹	sufficiently	すっかり、たっぷり
며칠	for days	何日
낫다	to get better, to recover(from illness)	良くなる

기본문형

1.

| -(으)ㄴ 것 같아요 | seems like |

-(으)ㄴ 것 같아요 is a sentence ending used with any verb or adjective and brings out the idea of likelihood : "seems like"

-(으)ㄹ 것 같아요 is used when we have no clue about the situation. However, when we have a clue about a situation, -(으)ㄴ 것 같아요 is used.

1) 이 치마는 큰 것 같아요. This skirt seems too large for me.
(She has worn the skirt.)

2) 이 치마는 클 것 같아요. This skirt will be too large for me.
(She didn't wear the skirt, yet.)

1) A : 감기에 걸린 것 같아요. It seems like I'm getting a cold.
   B : 그럼 쥬스를 마시고   Drink some juice and
       집에서 푹 쉬세요.   take sufficient rest.

2) A : 커피에 설탕이 적은 것 같아요.
   B : 그럼 설탕을 더 넣으세요.

3) A : 수미씨하고 선영씨 같이 갔어요?
   B : 아니오, 선영씨 혼자 간 것 같아요.

4) A : 선영씨 생일이 언제에요?
   B : 내일인 것 같아요.

5) A : 요즘 수미씨 못 봤어요?
   B : 못 봤어요. 요즘 바쁜 것 같아요.

6) A : 영진씨 왔어요?
   B : 온 것 같아요. 여기 영진씨 가방이 있어요.

7) A : 이 영화 전에 안 봤어요?
   B : 본 것 같아요.

220

8) A : 신문 못 봤어요?

　　B : 형이 읽고 있는 것 같아요.

2. | ―기 시작했어요 // to began to |

1) A : 언제부터 아팠어요?　　　　From when have you had pain?

　　B : 어제부터 열이 나기 시작했어요. I have been sick with a

　　　　　　　　　　　　　　　　　　　fever since yesterday.

2) A : 언제부터 피아노를 쳤어요?

　　B : 국민학교 때부터 치기 시작했어요.

3) A : 아직까지 텔레비전을 봐요?

　　B : 조금 전부터 보기 시작했어요.

4) A : 어제 뭘 했어요?

　　B : 어제는 하루종일 청소했어요.

　　　　아침 10시부터 하기 시작해서 저녁 6시까지 했어요.

3. | ―아 / 어야겠어요. // will(probably) have to |

This pattern is used with action verbs only and expresses necessity or obligation.

The verb stem + ―아(-어, ―여)야겠어요 : "will(probably) have to ..."

1) A : 아파서 병원에 가야겠어요. I have a pain, so I probably

　　B : 그럼 빨리 가 보세요.　　　have to go to the hospital.

　　　　　　　　　　　　　　　　　Yes, go quickly.

2) A : 날씨가 추워졌어요.

　　B : 옷을 더 입어야겠어요.

3) A : 밖에 비가 와요.

 B : 우산을 가져 가야겠어요.

4) A : 방이 몹시 더워요.

 B : 에어콘이 있어야겠어요.

5) A : 운동화가 낡았어요.

 B : 새 운동화를 하나 사야겠어요.

6) A : 밥이 없어요.

 B : 빵을 사서 먹어야겠어요.

4.	−지 말고 −(으)세요	do not one thing, and please do an other thing instead.

When one rejects one action in favor of another, −지 말고 is added to the verb the action of which is not wanted −지 말고 is used with action verbs and −있.

And −지 말고 is used mostly in imperative or propositive sentences.

1) A : 감기 들었어요.
 B : 공부하지 말고 집에서 푹 쉬세요.

    I got a cold.
 Don't study any more, but take sufficient rest.

2) A : 다리가 아파요.

 B : 그럼 서 있지 말고 앉으세요.

3) A : 내일 시험 있어요.

 B : 놀지 말고 공부하세요.

4) A : 친구를 한 시간 동안 기다렸어요.

 B : 그럼 더 기다리지 말고 가세요.

5. ㅅ 불규칙

In case vowel is followed by ㅅ, ㅅ is deleted.

낫
  - 아요 → 나아요
  - 았어요 → 나았어요
  - 으면 → 나으면

1) 낫다 : 어제 많이 아팠어요.   Yesterday, I had a much pain,
   이젠 많이 나았어요.   but, I'm getting better now.

2) 짓다 : 누가 밥을 지어요?
   엄마가 지어요.

3) 붓다 : 커피가 너무 진해요.
   물을 더 부어 주세요.

4) 젓다 : 설탕이 안 녹았어요.
   저어 드세요.

6. -(으)려고 해요 // be going to do (intention)

-(으)려고 하다 expesses the speaker's intention.

1) A : 오늘 저녁에 뭐 할 거예요?   What are you going
                                   to do, tonight?

   B : 영진이랑 술 마시려고 해요. I'm going to drink
                                   with Youngjin.

2) A : 담배 피우지 마세요.
   B : 끊으려고 하는데 잘 안돼요.

223

3) A : 졸업하고 뭐 할 거예요?

   B : 회사에 다니려고 해요.

4) A : 영진씨한테 연락했어요?

   B : 지금 전화 걸려고 해요.

5) A : 수미씨한테 카메라 갖다줬어요?

   B : 어제 갖다 주려고 했는데 바빠서 못 갖다줬어요.

6) 어제 올림픽공원에 가서 사진 찍으려고 했어요.

   그런데 비가 와서 못 갔어요.

연 습

1. 본문을 읽고 대답하세요.

   1) 앨버트씨는 어디가 아파요?
   2) 앨버트씨는 병원에 갔어요?
   3) 선생님이 앨버트씨에게 무슨 말을 했어요?
   4) 며칠 후에도 앨버트씨는 많이 아팠어요?
   5) 언제부터 앨버트씨는 학교에 나올 거예요?

2. 다음 그림을 보고 당신의 의견을 부드럽게 말해 보세요.

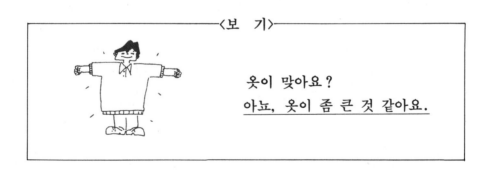

<보 기>

옷이 맞아요?
아뇨, 옷이 좀 큰 것 같아요.

1)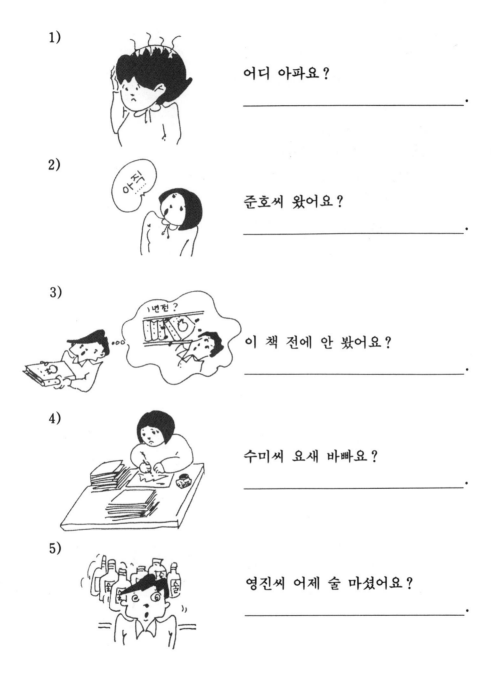

어디 아파요?

_____.

2)

준호씨 왔어요?

_____.

3)

이 책 전에 안 봤어요?

_____.

4)

수미씨 요새 바빠요?

_____.

5)

영진씨 어제 술 마셨어요?

_____.

3. 대답하세요.

1) 언제부터 한국어를 공부하기 시작했어요?
   두 달 전_____.
2) 언제부터 서울에 살기 시작했어요?
   국민학교 때 _____.
3) 아직까지 텔레비전을 봐요?
   조금 전_____.
4) 어제는 하루종일 공부했어요?
   아침 10시_____.
5) 언제부터 아팠어요?
   어제 밤 _____.

4. 어떻게 하겠어요?

———————〈보 기〉———————

갑자기 배가 아파요.
병원에 가야겠어요.

1) 밥이 없어요.
   _____.

2) 한 시간 후에 기차가 떠나요.
   _____.

3) 방이 몹시 추워요.
   _____.

4) 밖에 비가 와요.
   _____.

5) 눈이 나빠요.
   _____.

5. 그림을 보고 이야기하세요.

1)

A : 감기 들었어요.

B : _____ .

2)

A : 다리가 아파요.

B : _____ .

3)

A : 내일 시험이 있어요.

B : _____ .

4)

지 하 철

A : 택시를 한 시간 기다렸어요.

B : _____ .

5)

A : 목이 아파요.

B : _____ .

6. 문장을 완성하세요.

1) A : 아직도 아파요?

   B : 아뇨, 이젠 많이 _____.

2) A : 집에서 누가 밥을 지어요?

   B : _____.

3) A : 커피가 진해요?

   B : 네, 물을 _____.

4) A : 커피에 설탕이 안 녹았어요.

   B : 그럼 _____.

7. 보기와 같이 하세요.

┌─────────────〈보 기〉─────────────┐
│   │
│   언제 학교에 올 거예요?   │
│   지금 <u>나가려고 해요.</u>   │
│   │
└──┘

1) A : 오늘 저녁에 뭐 할 거예요?

   B : 친구랑 _____.

2) A : 졸업하고 뭐 할 거예요?

   B : 회사에 _____.

3) A : 수미씨한테 책 갖다줬어요?

   B : 아니오, 어제 _____.

4) A : 영진씨한테 전화했어요?

   B : 지금 _____.

5) A : 어제 올림픽 공원에 뭐 하러 갔어요?

   B : 사진 _____.

새단어

적다	(be)few, (be)insufficient	少ない
피아노	piano	ピアノ
국민학교	elementary school	小学校
더	more	もっと
가져가다	to take, to carry away	持って行く
몹시	very, awfully	ひどく、とても
에어콘	air conditioner	エアコン
운동화	sports shoes	運動靴
낡다	(be)old, (be)used, (be)worn	古い
새	new	新しい
다리	leg	足
이제	now	今
(밥을)짓다	to cook(rice)	(ご飯を)炊く
붓다	to pour into	注ぐ、そそぐ
진하다	(be)strong, (be)thick, (be)rich(food)	濃い
젓다	to stir	かきまぜる
녹다	to dissolve, to melt	溶ける
(담배를)끊다	to stop (smoking), to quit	(タバコを)やめる、断つ
올림픽 공원	Olympic Park	オリンピック公園
사진을 찍다	to take a picture	写真を撮る
갖다주다	to bring(as a favor)	持って行く，渡す

제 20 과 　복 습 IV

1. 　스무고개

영　진 : 지금부터 스무고개를 시작하겠어요.

　　　　한번 맞춰 보세요.

　　　　먼저 힌트를 드릴게요.

　　　　동물이에요.

앨버트 : 산에서 살아요 ?

영　진 : 아니오, 산에선 안 살아요.

수　미 : 그럼 바다에 살아요 ?

영　진 : 바다에도 안 살아요.

수　미 : 그럼 어디 살아요 ?

영　진 : 그건 말할 수 없어요.

앨버트 : 하늘을 날아다녀요 ?

영　진 : 못 날아요.

수　미 : 그럼 집에 살아요 ?

영　진 : 네, 그래요. 사람하고 친해요.

수　미 : '야옹'하고 울어요?

영　진 : 아니오, 그렇게 안 울어요.

앨버트 : '멍멍'하고 짖어요?

영　진 : 네, 그래요.

수　미 : 알았어요. 개예요.

영　진 : 맞았어요.

어떻게 울어요 ?

색 인

◇단어, 숙어 및 문법 용어

숫자 → 각 과
본　 → 본문
기　 → 기본문형
연　 → 연습
（　） → 페이지

234

240

243

한국어 회화 1　　　　　값 13,000원

1991년　1월 30일　초판발행
1997년　7월 15일　개정2판9쇄발행

편집겸
발행인　김　홍　규

발행처　**고대 민족문화연구소**
서울특별시 성북구 안암동 5가 1
<1964. 9. 28. 등록 제6-18호>

전 화 : 3290-1610~l, 923-1607
FAX : 926-8385
한국어문화연수부 : 3290-1615
　　　　　　　　　　3290-1616

제 작　서울기획